国家出版基金项目
NATIONAL PUBLICATION FOUNDATION

《三联经典文库》

第二辑

2012年国家出版基金项目

三联经典文库

193

读书的方法与经验

王任叔 著

生活·讀書·新知 三联书店

图书在版编目(CIP)数据

读书的方法与经验 / 王任叔著. -- 北京 : 生活·读书·新知三联书店, 2014.1
（三联经典文库第二辑）
ISBN 978-7-108-04766-3

Ⅰ.①读… Ⅱ.①王… Ⅲ.①读书方法-青年读物 Ⅳ.①G792-49

中国版本图书馆CIP数据核字(2013)第261830号

193 **读书的方法与经验**

责任编辑　戴云波
封扉设计　蔡立国
责任印制　徐　方
出版发行　生活·讀書·新知 三联书店
　　　　　(北京市东城区美术馆东街22号)
邮　　编　100010
经　　销　新华书店
印　　刷　北京鹏润伟业印刷有限公司
版　　次　2014年1月北京第1版　2014年1月北京第1次印刷
开　　本　787毫米×1092毫米 1/32　印张 5
字　　数　66千字
定　　价　19.00元

《三联经典文库》出版缘起

适逢生活·读书·新知三联书店八十华诞，为弘扬传统，接续文脉，回报读者，服务社会，我们决定策划出版《三联经典文库》。

1932 年 7 月，生活书店在上海创办，此后，读书出版社和新知书店相继成立。本文库第一辑、第二辑所选图书，来自于这三家出版单位及其分支机构，以及 1948 年生活·读书·新知三联书店成立后的出版物，始于 1932 年，截至 1951 年，两辑各一百种。此为第二辑，涉及政治、经济、社会、军事、思想文化诸领域，涵盖专著、文集、散文、小说、诗歌、传记、报道等体裁，既有直面现实、追求真理、讴歌真善美、抨击假恶丑的原创作品，又有引介世界各国先进文化、传播新知、开启民智的迻译之作，真实记录了那一代知识分子的思考与探索、理想与愿景和对中华民族文化传承与创新所做出的努力与贡献。

本文库所辑入各书，多为名家名作，在版本方面，以初版一印本或经著译编者审定、修订、增订过的版本为首选，因此本文库又具有较为珍贵的版本价值和收藏价值。

本文库还将编选续辑，使之成为恢弘文化工程。诚挚希望读者给予批评和指正，帮助我们完善编选工作，再现三联经典作品之风采。殊为遗憾的是，由于年代久远，一些原著译编者及其后人未能取得联系并奉付稿酬，诚盼版权所有者与我们联系。祈愿三联前辈所创造的精神财富能薪火相传，为中华文化的伟大复兴增光添彩。

《三联经典文库》编辑委员会

2013 年 8 月

凡　例

一、本文库为重排本，由繁体字竖排版改为简体字横排版。

一、以忠实于原作、整旧如旧为编辑原则，对当时使用的专有名词、外文译名，以及民国时期的语言和特色予以保留。

一、原书注释如旧，编者所出的注释，均以“编者注”标明，以示与原书注释的区别。

一、对原书残缺或字迹漫漶之处，以□示代。

一、对繁简文本转换时的“如右”、“见左”一类，对应改为“如上（前）”、“见下（后）”。

一、对原书中各种错讹脱衍之处，直接订正，不再以其他符号标示。

一、对数字、标点符号的用法，在不损害原文语义的情况下，做必要的规范。

一、本文库各书均前插原书书影、原书版权页和文库版“本书出版说明”。

一、本书出版说明的撰写，以客观中立为原则，扼要介绍本书的内容、版本流转、著译编者的情况。

本书出版说明

本书系我国现代著名作家、文学评论家、历史学家王任叔先生专门针对当时青年人的读书方法问题以及读书与生活实践、读书与治学乃至读书与人生道路的选择等方面所写的一本浅显易懂的小册子，曾收入上世纪四十年代由生活书店出版的“青年自学丛书”中。

本书由生活书店初版于1938年1月，1940年5月5版。本次出版，即以此为底本。

作者王任叔（1901-1972），笔名巴人等，浙江奉化人。文学研究会成员。早年参加中国共产党。1923年开始新文学创作。1926年任北伐军总司令部秘书处秘书，1930年参加中国左翼作家联盟。抗日战争时期曾编辑《译报》副刊、《大家谈》和《申报》副刊、《自由谈》，与许广平等共同主持编辑《鲁迅全集》。1941年赴南洋从事华侨文化工作。新中国成立后任中华人民共和国驻印度尼西亚大使，人民文学出版社副社长、社长兼总编辑等。作品有短篇小说集《监狱》、《殉》、《皮包与烟斗》，长篇小说《阿贵流浪记》、《莽秀才造反记》，论著《文学论稿》等。

生活·读书·新知三联书店

2013年8月

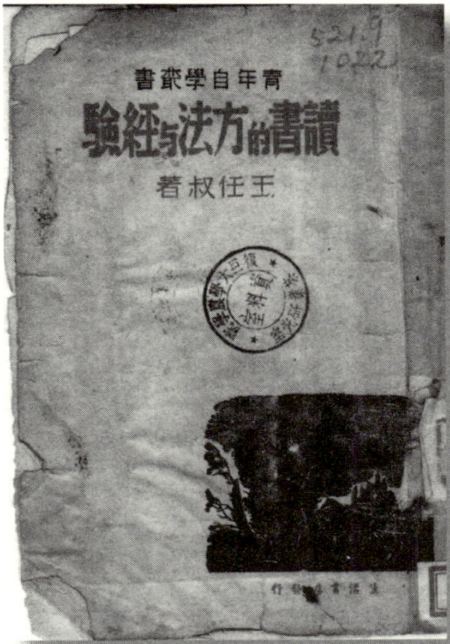

生活书店 1940 年 5 月 5 版书影

青年自學叢書

讀書的方法與經驗

著者　王任叔

發行人　徐伯昕

發行所　生活書店

重慶　成都　蘭州　桂林　柳州　曲江　昆明　貴陽　梅縣　香港　星洲　赤坎

印刷所　生活印刷所

中華民國二十七年一月初版
中華民國二十九年五月五版

C. B249
5—14001—18000

原书版权页

目 次

第一章　绪论

据说从前有个私塾里学生，十五岁，还惯爱逃学，专到旷野上山林里去野马。有一回，他逃到私塾后面竹林子里，拿把小雕刀在竹子上刻字。刻下如后的四句：

我年一十五，畏书如畏虎。始皇烧不尽，留得后人苦。

等到私塾里老师，发现他在竹园子里，他已经刻成了这四句歪诗。老师一看之下，怒火中烧：怎奈自己门下弟子，居然有引秦始皇为同志的，异端邪道，非把他赶出学门不可。这样，这位“始皇同志”，就投身于自然界，翻泥块去；意思是，从此种田过日，降等一级。“万般皆下品，惟有读书高”，不能读书，自然是“下品”了。

可是，在这个故事里，我却看出一点道理来。写那上面五言诗的“始皇同志”，我看天分并不怎低，虽然照老师眼光看来，这诗，不但内容大逆不道，而且平仄失黏；诗格也近乎打油，实在是首“歪诗”。但我以为明白自然，活生生写出自己心境，作者却也不失是个聪明人。聪明人不喜欢读书，这问题可就有点僵了。难道从前的秀才举人都是笨家伙出身？

说实话，在选拔奴才的科举中，不是笨家伙，决不能得选。中国以前私塾里教学生的一套，就是四书五经。我们并不菲薄这四书五经，这里自有我们先民的生活经验的积累，和优秀的哲理；但这些哲理和生活的经验，对于入世未深的孩子，却是过大的负担。比如，一册《论语》，其间确实谈到不少做人道理，我们暂且不管这些道理和后世的人适合不适合，但教未明事理的孩子来读，终有点格格不入。“颜渊问仁。子曰：‘克己复礼，为仁。一日克己复礼，天下归仁焉，为仁由己，而由人乎哉！’……”比如，这样一段的东西，叫人读了，能不皱眉叹气？不懂呀！怎么叫做“仁”，怎么叫做“礼”，这不但孩子捉摸不住，便是老师也只能说，“仁者仁也，礼者礼也”。而孩子还是个不明不白。活泼泼的心灵，弄得越来越麻木。麻木到不感痛痒，不知羞辱，于是具备了做奴才的条件，得选为秀才举人。不肯让自己麻木下去，那么只有逃学，被赶出学门，变做了和自然奋斗的农人。农人和学问越离越远了，奴才们却又以学问的幌子来压迫农人。这世界便成了非常不平等的世界。

但我要郑重地指明的是，读书若和生活经验相隔离，那就永无好处。所读之书，而不择与读者的生活经验相适应的，那就只有抛掉书本，逃起学来，声言“畏书如畏虎”，祈求始皇烧个尽净了。是谓之读书的方法错误。

可是，一有了奴才资格，那么，就是死板板的读书，也还有他的快乐。所以中国的古人，也做过所谓《读书乐》的歌诀：

读书乐，读书乐，书中自有千钟粟，
书中自有黄金屋，书中自有颜如玉，……

何等活跳的奴才心境！“千钟粟”，就是“做官”，所谓“食君之禄”是也。“黄金屋”，就是“发财”。“颜如玉”就是有几个漂亮女人。奴才的读书的目的，就在于做官而后发财，发财而后左妻右妾，快乐一辈子。奴才哲学的终极的发展，是兽性的发泄。野兽一般的贪饿，野兽一般的淫欲，他们就想从书本中来求得个着落。是之谓读书的目的错误。

于是，有的人改过口来说：读书是求智识，而智识呢，则就是权力。西谚中“Knowledge is power”，就在中国读书人脑子里生起根来。但所谓权力这两字，同样有把“读书人”看得极高的意义。权力出现在现在这个不平等的社会里的时候，一样需有“千钟粟”“黄金屋”“颜如玉”来给它充实。在真正的人类社会里，权力应该是指人类在其和自然斗争的过程中的那种力量，所谓“Energy”是值得宝贵的。但在现实社会里，它却被金钱、势力、强权所代替了。换句话说，是被士大夫阶级的阶级利益所代替了。所以，在现在来说读书是求智识，智识即是权力，这一样是自尊自大的表现。

那么，读书是为什么，读书又应该怎么读法呢？

关于后者，正是本书作者所要阐发的，留待以下再说。关于前者可借高尔基的话来说明。《我怎样学习》里有一节说道：

> 我愈读得多，书本愈使我跟世界亲近，生活对于我愈变成光明，有意味。我看见有许多人，他们生活得比我更坏，更困难，这稍微给了我一点安慰，不会和恶劣的环境去妥协。我也看到，有些人能够知道有趣地快活地生活着，而在我的周遭，却像没有一个人能知道那样地去生活的。差不多在每本书里，都低声叮叮地响着什么骚扰的东西，诱惑着不认识的人，感触着那人的心灵。所有的人们就这样地那样地受着苦痛，都是不满于生活，而寻求着那更好的东西，于是他们就都成为更相接近，更可了解了。书本都是以悲哀团罩了整个的地球，整个的世界，以求改良。在它们当中，每一本都好像是一种灵魂，用着记号和字汇，凝结在纸面上，当我的眼睛，我的理性感触到它们的时候，它们就立刻复活了起来。

在我读书的时候，我哭过不止一次。他们所讲述着的人，是变得那样和善和亲近了。为呆笨的工作弄得不安静了的，被昏庸的叱责所侮辱了的一个孩子——我，向自己宣布了庄严的约束：帮助人们。为他们忠诚地服务，到了我成年的时候。

好似一些极美丽的神话中的鸟儿一般，那些书本，像对囚犯一样地向着我歌唱着，讲说着；它们唱着的是：生活是那么多方面而且丰富，人为着追求良善和美好又是多么勇敢。于是愈向前继续，心头愈充满了健康和活泼的精神。我变成更为沉静，对于自己更有确信，我更意识地工作着，不甚注意那许许多多生活的袭击了。

每一本书，都是一个小的梯子，我向上面爬着，从兽类到人类，走到更好的生活的理想境地，到那种生活的憧憬的路上来了。

在这些叙述里，我们可以看出书本对于高尔基的影响是多么伟大。书本是丰富人们的生活，感情以至思想，而使人们接近世界、接近事物，扩大同情心，勇于为人的原动力。所以高尔基在这篇文字的结束里又说道：

深深地相信着我的信心的真实，我现在向着每个人都说：请爱好书本吧，它将使你生活容易化，它将友爱地帮助你了解感情思想，事变的各方面的和复杂的混合，它将教你尊崇别人和你自己，它将带着对于世界和人类的爱的感情，给予智慧和心灵以羽翼。

一切的智识都是有用的，就是关于心灵错误，感情错误的智识也都是有用的。请爱书吧！——这智识的泉源！只有智识才有救人的能力，只有它可以使我们在精神上成为强壮的忠诚的有意识的人，这样的人方才能够忠诚地爱着人类，尊崇他的工作，衷心地注意到他那不会中止伟大工作的极美丽的结果。

在为人所做成的和正在做着的一切之中，在一切事物之中，现在都有着他的灵魂；这种

纯洁的忠诚的灵魂在科学当中，在艺术当中都
是最多的；它又最雄辩地而且容易了解地在书
本中说着。

我们希望于本书的读者的，也仅止这一点意思。我们的目的，便是——

为了做人，
便得读书。

第二章　读书即是生活

我们既然喊出了——

为了做人，

便得读书。

的口号，但这仿佛还须解释一下。否则，就不免有自登广告的嫌疑：因为这口号的进一步，是可以那样喊的：

既得读书，

应先读讲读书方法的书。

这么一来，本书作者就成了真正的广告大家。现在“闲话少说，书归正传”。

为什么“要做人就得读书”呢？因为读书即是生活。读书并不是生活以外的另一件事，读书是生活以内的一种生活。而且这生活，上至盘古分天地，下至工人掘江河；大至泰山，小至黍米；远至西欧的风云，近至自己身上汗毛的摇动；响至敌人的飞机与大炮的轰炸，微至地下秋虫的叹息；恨至骨髓里出血，乐至心尖头开花……真是无事不包，有物皆容。我们做人过活，决不是在自己饭碗里翻筋斗，而是要在大海洋里淴浴。将自己的灵魂与全个世界相接触，交通，融洽，甚至于相拥抱。同样，我们的生命虽然有限：高寿百岁，短命半刻；若说精虫也有生命，那更来的飘忽。然而人类的生命无穷。这人类的生命的一部分，就以书本上的智识而具象化，高级化，和自己个人的生命连接起来了。做人不是仅为了自己的欢乐，那是在学野兽的乖。做人主要是在持续人类的生命，不但要承受过去，而且要发扬将来，使后之人同受教化，同向光明之路走去。这倒并不是玄之又玄的话，而是确确实实的真理。若仅为个体的活，则人狗尽可同槽，何必读书。我们所谓生活，是须从极悠久极广大的范围里来说的。

但我也不是说：不读书的人，就算不得人。不读书的人，却也有艰苦地为人类造着更大的幸福的基础的。这些功绩，记载在我们先人的书籍里，可也不少。他们的行动，无异于以天地为书页，而写下了他们光荣的文字来。这是人类中第一等的作书的人。他们所少的，不过没有将自己的生活的积累，自己用符号编纂起来，使后世人得以按图索骥罢了。反之，他们的生活的路子，却以结实的行动昭示后人。这是一部活动的书。

活动的书因时间的久远，易于消灭，易于改变，这也是事实。有些人把它形式化了，符号化了，人们重新来记住并认识这形式和符号，时时加以扩大；那就是现在我们所谓的“书籍”。但不管你是个怎样优秀的速记家，人类永远有一部分东西不被记录下来。而这已被记录的和不被记录的，合了起来，才是整部的大书——所谓人类的文化。做人过活，固然无异于读一部活动的书；读有形的符号化的书，也无异于过无形的活，所谓心灵与精神的活是也。读书即是生活，就是这个道理。谓予不信，且再来检讨一下：——

书籍是什么？

这里又得来引用古人的话。恩格斯在他的《反杜林论》里有论到杜林先生的关于纯粹的数学的考虑的一段。杜林先生的意思：数学这一高级形式的学问，并不是利用外界给予我们的经验，而引申出来的；而是从头脑的本身中引申出来的。他说："数学是理性之自身创造，是想像的产品。"恩格斯就给它一个驳斥：

> 说纯粹数学，是理性只利用自身创造的及想像的产品，这是完全不对的。书目及形体的概念，完全是由现实世界中得来的。人们最初从十个指头，学习计算。这就是说，作第一次的算术计算，这十个指头，无论如何总不是理性自由创造出来的产品。要作计算，首先不但要有应被计算的对象，而且还应说在考察这些对象时，具有辨别它们一切的其他特殊能力。可是这种能力，正是长久的历史及经验的产物。数的概念和形的概念，同是得自外面世界的，而不是在头脑中从纯粹的思维产生出来的。要能够达到形的概念，先应该有那些具有

一定形体的事物的存在，而且应该把这些事物拿来比较。纯粹数学的对象，是现实世界的空间形式及数量关系，所以是非常现实的资料。这些资料，采取了非常的抽象的形式，此点只能在表面上遮掩它的来源。……和其他一切科学一样，数字是从人的需要上产生出来的：即是从地段面积及器物容积的测量，从日历及机械学的计算等产生出来的。和其他一切知识领域中的情形一样，从现实世界上抽象出来的法则，在某种发展阶段上，是与现实世界相隔离，与之相对立，因此看来好像是独立的东西。……

从这一段引文里，我们要证明的，即是如数学那种高级形式的学问，也还是现实世界抽象出来的，也还是人类社会经验的积累。至于其他学问，本质上关及于人生间的，那就不必说了。同时，恩格斯又非常天才地指出：书本里的智识，固然是从现实社会中取得的，而人们却也需有一种先验的能力，使读这本书，能理解其中所包含的意义。这能力是潜伏于人类心灵里，长久的历史及经验的产物。明白地说，读书也得有生活经验，才能相互呼应。

以上这一段话，偏于理论的说明，仍旧有点朦胧。那么，让我先来下个结论，再用事实来证明。

书籍是什么？我的答案是——

人类的历史的生活经验的积累。

这何以见得呢？我们可以——

第一，从文字的发明上来证明。

中国古时，没有文字以前，便是用结绳来记住各种事情。大事就打个大结，小事就打个小结。据伊林的《书的故事》里说：现在秘鲁的牧牛人，也还懂得结头打成的文字。中国的结绳文字，现在是无从知道了，但从象形的字体上看来，也可证明全都应于生活经验的需要而发明的。例如大篆里的：

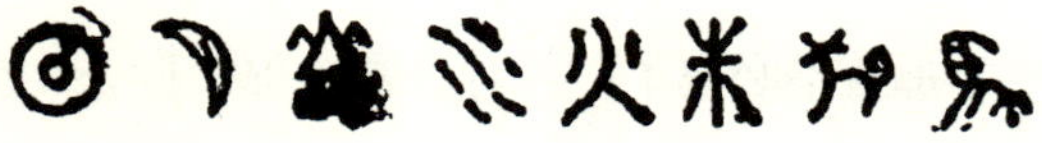

日　月　山　水　火　木　犬　马

便都是我们日常看见的事物的形象的描写。乡间农家，不识文字，到现在还有随自己意思来画图的。他们常在门后画着如下这样的东西：

这就是表明谁家借去了三把割稻的镰刀的意思。至于中国文字的演进，所谓六书的递进阶段，那不过是从现实的具体的阶段，推进到高级的理性的抽象的阶段罢了。汉代许慎《说文解字叙》说：

> ……神农氏结绳为治……黄帝之史仓颉见鸟兽蹏迒之迹，知分理之可相别异，初造书契。……仓颉之初作书，盖依类象形，故谓之文。其后形声相益，即谓之字。文者物象之本，字者言孳乳而浸多也。著于竹帛谓之书，书者如也。

这就是说明书籍的发生，是人类生活经验的纪录。所谓书者如也，便是照样纪录的意思。许慎的六书，便是指事，象形，形声，会意，转注，假借。自示意象形而发展到拼音文，也就是说明文字的进化，从具象的现实阶段，而推进到抽象的理性阶段。

其实，从文字的发明上，来证明书籍是人类生活经验的积累，只要看伊林的《书的故事》就可以明白。这是册非常有趣的书，谁都应该一看。这里也不加以引证了。

第二，又可从古籍的记载上来证明。

大凡书籍越是古的，它的记载越和人类的生活经验相连接。所以我们可以从古籍中看到古代社会生活。中国古籍里有首诗：

> 日出而作，日入而息，凿井而饮，耕田而食，帝力何有于我哉。

这首诗，就是全记着那时候人民生活的状况。——一种无政府的状态。又如《易经》里有一节云：

> 屯如，邅如，乘马斑如：匪寇，婚媾。
>
> 贲如，皤如，白马翰如：匪寇，婚媾。

有人认为这是古代社会掠夺婚姻的描写。郭沫若先生就是依据中国古代书籍来考察中国古代社会的生活，做了一部《中国古代社会史》的。我们在这里也不必多所证明了。

总之，书籍是人类的历史的生活经验的产物，由于生活经验的引申，人类的思维，也推进到较高的阶段，将具体的事物，予以抽象化，而具了纯理性的或纯想象的形态。那是不待证明的一句真话。

但也正因这，我们读书就当有个标准。这个标准是怎样的，我们虽然不能具体规定，但有一句话是得记住的，那便是——

尽信书不如无书。

我们已经说过，书籍是人类的历史的生活经验的积累。人类的历史，是进化的；但所谓进化，并不是从甲阶段进化到乙阶段，就截然分成两段，丝毫没有联系。就是进化论里所谓突变，也还有事物的过去因素存在。人类的历史，比较地球存在的年龄，真是微小得很。人类历史的生活经验，虽然可以用年代来划分，也非常之短促。但从小观之，则万事万物，皆时时刻刻在变化。犹如江河，不废昼夜，流泻不息。因之，今日的生活习惯，以至社会风尚，虽然不无古代的生活习惯遗迹存在，但大体是变化过来了。我们做人过活，必须适应现代社会。比如作战，中国的孙子兵法，在那时也许有用，在现在和日本帝国主义作战，就未必有用了。背水而阵，是利用兵士"置之死地而后生"的心理。现在，则敌舰排炮，马上可以消灭你了。诸葛亮坐在城楼上弹琴却敌，千古传为佳话，现在则有飞机可以侦察城中虚实，大炮可以试探琴声了。看了古书，就欲行古之道，那是食古不化，活该取死。即使看了现代的新书，也马上要把自己生活习惯，照样改变过来；或不审国情，照样搬用，那也是鹦鹉学舌，徒具形式。尽信书，即将自己的生活经验，完全没入于书中所说的事理中。也就是将自己与社会生活的连锁切断，而不能将书中的精华应用于自己，而反映于社会上。社会里所有的人，如其都是这种书呆子，则社会将必然停止了进化！《镜花缘》里第二十三回有一节这么描写着：

三人进了酒楼，就在楼下检个桌儿坐了。旁边走过一个酒保，也是儒巾素服，面上戴着眼镜，手中拿着折扇，斯斯文文，走来向着三人打躬陪笑道：“三位先生光顾者，莫非饮酒乎？抑用菜乎？敢请明以教我！”

林之洋道：“你是酒保，……倒通起文来，真是‘整瓶不摇半瓶摇’！你可晓得俺最喉急，耐不惯同你通文，有酒有菜，只管快快拿来。”酒保陪笑：“请教先生：酒要一壶乎，两壶乎？菜要一碟乎，两碟乎？”

林之洋把手朝桌上一拍道：“甚么乎不乎的！你只管取来就是了！你再之乎者也，俺先给你一拳！”吓的酒保连忙说道：“小子不敢！小子改过！”……

林之洋素日以酒为命，见了酒心花都开，望着两人说声“请了”，举起杯来，一饮而尽。那酒方才下咽，不觉紧皱双眉，口水直流，捧着下巴喊道：“酒保，错了！把醋拿来了！”

只见旁边座儿有个驼背老者，身穿儒服，

面戴眼镜，手中拿着剔牙杖，坐在那里，斯斯文文，自斟自饮。一面摇着身子，一面口中吟哦，所吟无非之乎者也之类。正吟的高兴，忽听林之洋说酒保错拿醋来，慌忙打住了吟哦，连连摇手道："吾兄既已饮矣，岂可言乎，你若言者，累及我也。我甚怕哉，故尔恳焉。兄耶，兄耶！切莫语之！"

唐、多二人听见这几个虚字，不觉浑身发麻，暗暗笑个不了。林之洋道："又是一个通文的！——俺埋怨酒保拿醋算酒，与你无干！为甚累你？倒要请教！"

老者听罢，随将右手食指、中指在鼻上擦了两擦道："先生听者。今以酒醋论之，酒价贱之，醋价贵之。因何贱之？为甚贵之？其所分之，在其味之。酒味淡之，故而贱之；醋味厚之，所以贵之。人皆买之，谁不知之。他今错之，必无心之。先生得之，何乐如之！第既饮之，不该言之。不独言之，而谓误之。他若问之，岂无语之？苟如语之，价必增之。先生增之，乃自讨之。你自增之，谁来管之。但你饮之，即我饮之；饮既类之，增应同之。向你讨之，必我讨之；你既增之，我安免之？苟亦增之，岂非累之？既要累之，你替与之。你不与之，他安肯之？既不肯之，必寻我之。我纵辩之，他岂听之？他不听之，势必闹之。倘闹急之，我惟跑之——跑之跑之，看你怎么了之。”……

这一节描写，在作者虽然用以讥笑之乎者也的文人，但我们却也可以看出一些食古不化的书呆子的形貌。所以从积极方面来说：

学贵乎思。

孔老夫子早就对我们说过："学而不思则罔。"所谓罔，即是一种朦胧隐约的境界，茫然而无所知。不过，孔老夫子这里所谓"思"，是将书中意思，予以条理分析，达到最后的理解的意思。我以为，这个"思"，就有两重意思。其一，是如上所谓，分析书中条理，以求理解，是一种分析的态度；其二，是运用自己从生活经验，与夫遗传教育——所谓个人的特殊的能力，来和书中的意义，作个综合比较的观察，以定取舍，也就是所谓批判的态度。学贵乎思，就是，既须分析，又得批判。关于这一项具体办法，容在下章读书的方法里，我们再来详细讨论，这里我们只能说个大概。总之是，读书固然需要先具有能读的能力——如文字之认识，语句的意义的分解，但更需先有充实的与那种书相关联的生活经验做基础。所以古人也有说道：

“世事洞明皆学问，人生练达即文章。”

要知道抽象的理论的书籍，虽然在其形态的表现上，好像与世事人生相隔绝，但按之实际没有不与世事人生，有一脉相通之处。青年的人，欢喜读小说——直接描写人生世事的书籍，而不欢喜看高级的理论书籍，也就因为小说之类和青年的生活经验的距离来的接近，而高级的理论，则距离较远。但自身的生活经验，由于和小说中所描写的世事人生相接触，而渐渐扩大，渐渐深化，青年又可从读小说之类的具体一点的书籍，进而探求那种表现出世事人生的最高的原则的理论书籍。

可是，也有些青年人，一进到这一较高阶段，他就鄙弃文学作品，鄙弃描写或具体提供世事人生的材料的书籍。那流弊所及，便是思想的形式主义，理论的机械理解。不用讳言，中国今日的思想界的形式主义的盛行，一方面固然由于一切理论家，都脱离了生活的实践；而另一方面，却由于理论家之根本鄙弃文学书籍。我们要是平心静气的想一想，著《资本论》的马克思，对于莎士比亚、巴尔札克的作品的爱好，著《唯物论与经验批判论》的列宁，对于托尔斯泰与高尔基的作品的爱好，那么我们的指导理论家之所以把思想弄得那样形式主义的原因，是可以看出来了吧。而且马克思与列宁不仅是爱好这些伟大的文学家的作品，作为感情的享乐，实际上，他们还把这些作品里所描写的人生，作为社会生活的分析的资料的。这也就可以看出：任何学术部门，都有它相联系的线索，是整个而不可分割的。这一线索的最后把握者，便是人类的生活经验。

自然，我们读书人最主要的，还是生活的实践。留心世事的演变，考察人生的变化，从书斋到十字街头，又从十字街头到书斋，一个学者，必须这么往复来回着。也惟有这样，才能看得更深刻，体验得更具体。从近年来中国乡村里银行放款的盛行的事实，我们可看出由于乡村经济的崩溃，地主的高利贷无法维持，剥削关系将要中断，但有了这高利贷得以复活。同时，也可以看出，帝国主义之侵略中国，已经从产业资本侵略阶段，而进入了金融资本的侵略阶段，通过中国银行家的手，而直入于农村。同样，我们也可以从别一种事实，而看到潜藏在那事实底里的深切的意义。实践少不了理论，固然是；理论脱不了实践，更可得到证明了。但主要的精神，则在于洞明和练达。学问和文章，即在洞明世事，练达人生中产生。

高尔基一生没有进过什么大学。他的大学，即是人生。在他自传式的《在人间》，《我的大学》中，他非常真实地反映了他所认识的人生。他固然一方面不断的泛读一切书籍，但他一方面更加用力于生活。他是以书籍启发人生，以生活印证书籍，将读书与生活紧密地打成一片，终于书籍每一句每一字，都成了他自己的血肉；生活中的每一节目，每一情况，都成了他自己著作中的灵魂。他在《我怎样学习》中，又有一节说道：

当我在一本杂志里看见了著名的科学家法拉台的肖像的时候，当我读完了我不甚了解的关于他的一篇文章，由此而知道法拉台以前是一个普通的工人的时候，我完全被惊呆了。这深印在我脑子里，好像一篇神话。

那么怎么样呢？——我怀疑地想——那么掘土工人当中的某一个也会成为科学家的吗？我也可以么？

是不可相信的。我开始寻找，是不是还有别的名人，以前也是工人呢？在杂志里边，我没有找到一个；我的一个朋友，中学的学生向我说，很多很多的名人以前都是工人，并且还说了几个名字，其中就有斯梯芬生。……

这就启发他对于人类的信赖，对于征服自然创造自然的人类的信赖。不用说，在人类的实生活里，有不少处是有陈旧的不合理的意识形态潜伏着的，而且有时成为主导的力量，存在着。我们所谓洞明世事，却并不是叫谁由于洞明而老奸巨猾，甚或至于与之同化，我们是要由于洞明，而抉去其腐烂的，拣取其新鲜的，而成为学问——一种指引人生的明灯。高尔基从厌恶掘土工人的叫嚣粗暴，而终于进到爱一切工人，教育工人的世界惟一的作家。他是在生活中磨练自己（读书也是他一部分生活），脱却了旧的意识形态，而争得了新的光明的“真理”了。

第三章　读书的方法

一说到读书方法，我就想起走江湖变戏法的。街头场角，扯起篷帐，几声锣鼓，拱手一周，吆喝道："在家靠父母，出家靠朋友！（嘡嘡！）……戏法人人会变，各有巧妙不同！（嘡嘡！）……"这情景，可真宛然如在目前。变戏法全在巧妙，读书正也如是。但巧妙又各不同，大宇之下，众生千万，读书的巧妙，也各不同。路是走出来的，方法好比一条路子，也是学习得久远以后才获得的。但既有走出来的路，就也有学习后的方法。天下人不一定自己去辟路，同样，读书也不妨借用别人的方法。现在就作者个人意见所及，并引名家意见，姑且胡乱来谈一通。

一、打下底子

读书首先要打下底子，那是自明之理，无待烦言。语言工具的底子，生活经验的底子，都是。可是说打底子，也就各有不同见解。有一派人以为要读任何书籍，哲学也好，论理学也好，社会学也好，甚至于科学也好，首先是得把国文的底子打好。这一派人可叫做中学为用派。他们所谓国文，就是经史子集。他们所谓打底子就是主张把经史子集，读个滚瓜烂熟。其实，这是痴人说梦。经史子集要读得滚瓜烂熟，不说现代青年为不必要，而且也不可能。白首穷经一无所得，书生的可怜，早已周知。

自然，主张这种打底子方法的，现在已经很少，但和这主张相仿佛的，却还不少，那就是“熟读”，须能明朗朗背诵。有一个作家，曾经在《我的读书经验》里，说过如下一节话：

> 我幼时最初第一个教我读书的先生是我的祖父。我的祖父是一个前清的贡生，八股文，

古文都做得很好。他壮年曾在乡间教书，后来改经商了，在休宁办了一个小学，他做校长。我的祖父是一个很庄重的人，他不苟言笑。乡间妇女看见都怕他，替他取了一个绰号，叫做：“钟馗”。我幼时很怕我的祖父，他教我识字读书，第一件要紧的事是读得熟。我起初念《三字经》，后来念《幼学琼林》，再后来念《孝经》，《论语》，《孟子》，《大学》，《中庸》等书。这些书小孩子念来，自然是没有趣味，虽然我的祖父也替我讲解。我的祖父每次替我讲一篇书，或二三页，或四五页，总叫我一气先念五十遍。我幼时记性很好。有时每篇书念五十遍就能背诵了。但我的祖父以为就是能背诵了也不够，一定要再念五十遍或一百遍，往往一篇书每日念到四百遍的。有一次我竟念得大哭起来。现在想来，我的祖父的笨法虽然可笑，但我幼时所读的书到如今还有很多能背诵的。可见笨法也有好用处。

那就是以背诵为学问的。其实这样的学问家，在前清时代，不知有多多少少，但终究有什么用呢？在现在，这些宝贝，也许可以当个大学教授。但也恐怕教其所教，非学生所要教的。

以熟读背诵来打底子，那不过叫读者会一套同样的调调儿：“熟读唐诗三百首，不会吟诗也会吟。”妙哉其为会吟也。会吟者，即能来那么一套调调儿也，于诗思何与？

要熟读，这原因自然不是没有。古文和语言，隔离得很远。古文是越古越好，换句话说，即是越和语言的自然音节隔离得越远便也越好。文章与语言分家，读书人既当做个能文老手，就只好熟读了。但这样的打底子方法，现代人可实在用不着。现代人不特要有现代思想，还必须用现代话表现思想。我们所谓打下底子，是读入门书的意思。

日本是咱们的敌国，但他们的文教，却很有可取之处。他们在大学部的高等学校里，最注重的是语言。要进大学至少得懂三国以上的文字。这因为“工欲善其事，必先利其器”。工具弄好以后，一到大学，各项学问，便可随意研究，以资深造。至于其他科目，教的大都是概论之类。也还是工具之用意。因为概论之类，不过略指门径，使学者得从此进去。门径既然熟稔，入室窃藏，也就容易得多了。

但在这里，我们必须牢牢记住：读了些入门书，却不能就永远停止下来，自以为满足。入门书不过是入门书，没有深入堂奥的勇气的人，就不必读入门书。因为“此间并无银子”，入门书里，并无学问智识可言。

入门书自然也有好坏，识别是要紧的。中学校里，固然也有哲学概论，文学概论，或者社会学概论之类，但这种课本，编的时候，需要依照教育部定下的标准，不一定真的是好入门书。世间仅有一种人，愿意开一头荒诞的门，叫你进去，却不愿意打开真理之门，好让你深入，拿出武器来应用。这一类教科书，便是多半开了些无用之门。

读入门书，却不一定要尽照书中所指示的去打门。还得在入门书里，拣定自己喜欢的门进去。进去之后，你就得忘掉入门书里所指示的“精义”。你必须像个探险家似的，自己去发现新大陆，自己去探求真理。杜威说：读书是一种探险，如探新大陆，如征新土壤。法朗斯说：读书是“魂灵的壮游”，随时可以发见名山巨川，古迹名胜，深林幽谷，奇花异卉。这些都全凭自己力量了。

还有，所谓读入门书，并不是我要研究文学，就来读一套文学概论（如坊间流行的本间久雄的《文学概论》），就够。我要研究文学史和文艺学就来读厨川白村的《文学十二讲》，就够。这样偏枯的读书法，是不对的。研究无论那一种学问，各科的常识，却不得不先有个底子。有人把高中文科学生应有的科学常识，开了如下的一篇账单：

（一）应该多看些社会科学基础知识的书，如社会科学大纲，经济学，社会学，社会问题，法律学等等的基础知识。

（二）应该多看一些哲学书，如哲学概论，辩证唯物论与史的唯物论等。

（三）应该多看一些自然科学的书，如自然科学概论，数学，天文学家，地质学，物理学，化学，生物学，心理学等。

这话是有相当的理由的，因为学问本来是整个的，相互之间，都有关系。各科常识丰富，学问也易于精深了。所以我们还可进一步来说。

二、要博览群书

从前胡适之先生写过一篇叫做《读书》的文字，收在《胡适文存》三集卷二里。他就主张读书，第一要精，第二要博。我则以为，读书既是为的做人，第一要博，第二才可讲到精。他在那篇文字里第二节写道：

> 什么书都读，就是博。古人说得好，“开卷有益”，我也主张这个意思，……我们主张博有两个意思：
>
> 第一，为预备参考资料计，不可不博。
>
> 第二，为做一个有用的人计，不可不博。
>
> 在座的人，大多数是戴眼镜的。诸位为什么要戴眼镜？岂不是因为戴了眼镜，从前看不见的，现在看得见了？从前看得很小的，现

在看得很大了？从前看不分明的，现在看得分明清楚了？王荆公说得好：

“世之不见全经久矣，读经而已，则不足以知经。故某自百家诸子之书，至于《难经》《素问》《本草》诸小说，无所不读；农夫女工，无在不问；然后于经为能知其大体而无疑。盖后世学者，与先王之时异矣；不如是，不足以尽圣人故也。……致其知而后读，以有所去取，故异学不乱也。惟其不能乱，故能有所去取者，所以明吾道而已。……”

他说：“致其知而后读，”又说：“读经而已，不足以知经。”……所以我们也说，读一书而已，则不足以知一书。多读书，然后可以专读一书。比如读《诗经》，你若先读北大出版的《歌谣周刊》，便觉得《诗经》好懂得多了；你若先读过社会学、人类学，你懂得更多了。你若先读过文字学、古音韵学，你懂得更多了。你若读过考古学、比较宗教学等，便懂得更多了。……

你们记得达尔文研究生物进化的故事吗？达尔文研究生物演变的现状，前后凡三十多年，积了无数材料，想不出一个简单贯串的说明。有一天，他无意中读马尔萨斯的《人口论》，忽然大悟生存竞争的原则，于是得着物竞天择的道理，遂成一部破天荒的名著，给后世思想家打开一个新纪元。

所谓博学者，只是要加添参考的材料，要使我们读书时容易得“暗示”；遇着疑难时，东一个暗示，西一个暗示，就不至于呆读死书了。这叫做“致其知而后读”。

第二，为做人计。

专工一技一艺的人，只知一样，除此之外，一无所知。这一类的人，影响于社会很少。好有一比，比一根旗竿，只是一根孤拐，孤单可怜。

又有些人广泛博览，而一无所长，虽然可以到处受一班贱人的欢迎，其实也是一种废物。这一类人，也好有一比，比一张很大的薄纸，禁不起风吹雨打。

在社会上，这两种人都是没有什么大影响，为个人计，也很少乐趣。

……

所以胡先生最后的结论是——

“为学要如金字塔，要能博大要能高。”

这在胡先生想叫每一个人成为学者，那我们也没有异议。但我以为无书不读，有书皆看，这大半意思，却在于做人。胡先生在这篇文字里，为做个有用的人计，不可不博，理由说得非常不充分。据我的意思，有以下的几点。

第一，能识得大体。

本来讲到学问，也不能仅限于书本上。从前的人，对于这点倒看得很明白的。章实斋在《原学》篇上里有说：

> 《易》曰："成象之谓乾，效法之谓坤。"学也者，效法之谓也；道也者，成象之谓也。夫子曰："下学而上达。"盖言学于形下之器，而自达于形上之道也。

这里所谓形下之器，就是"世事""人生"。所谓道，也就是真理，真理之探索，必须从世事与人生着手。但道隐于器，真理藏于现实。读书先从人事着手，所谓下学而上达，那才真叫做学问的工夫。做学问工夫，也为的做人。书本既是人类的生活经验的积累，能够博览，就如看到全般的人生。专读一门书的人，好比走进森林里专考究一株树的人一样，他不会识得这整个森林的位置和它繁茂的一般情形。同样，他也不会判别这森林在某种条件下，会发生那些事情。如果是竹林子，太过繁密，大雪时，就容易压折竹子。但这一情势的判断，却需从整个林子来计算。博览群书，就无异将自己生活收在上下古今，东西中外的错综点上，能够扼要地识得个大体。胡先生说这种人，一无所长，虽可以到处受一班贱人的欢迎，其实也是一种废物。不知指的贱人，是何等样人。若以为是一般平民，就是贱人；则受平民欢迎的人，才是个最真实的人。比如今日，一班人民，都一致主张抗日。这自有它客观原因。但懂得些中国政府政治与国际形势的人，一定也会附和这主张的。可是专弄军事学的人，他从武器和军队方面来研究，却以为中国决不能和日本作战了。就如胡适之先生对于政治经济的学问如何，实在也叫人信不过。好多年以前，他就一口说定中国没有什么帝国主义侵略的事实；但中国到了现在这么地步，难道真是受害于什么五毒之类？又如胡先生对于辩证法和唯物论似乎也太看得容易，在他回复苏雪林的信里，竟说，自己仅用几百字批评，就要叶青做成一本书来攻击了。但胡先生的哲学思想，裨益于社会者几何？（在此，我也不一定以叶青为辩证唯物论的权威学者，也许他用以攻人的矛，却落在自己盾上。）这也因为胡先生老于实验主义的哲学，成见太深了，所以不能致其博。即如王安石所谓“致其知而后读”，其意大半在诠释“农夫女工，无所不问”，是格物致知的意思，不光是指的为“添加参考材料”而博览的那种读书法，但胡先生始终以学者自居，攒在学者的蜗牛壳里，也就看不到蜗牛壳以外的农夫女工了。故把致知专解释为读书研究工夫，这也可见胡先生识见不博。故我以为，能博览群书，然后能破除陈见，识得个大体。为学处世，两皆有用。

第二，能扩大生活经验。

从博览群书，而到达识得大体的境界，终究还须有学力识力。学力是读书工夫，即有一种专一的学问。识力是经验丰富，即洞达人生世事。但学力识力较差的人，能够博览群书，却也能扩大自己的生活经验。

读书贵于受用。受用却是有一点算一点的。鸡肉难于消化，鸡汁善于营养。为了身体受用，鸡肉鸡汤应该一起喝。整吞决不可能，咀嚼自然也极需要。如其不能咀嚼得稀烂稀烂，也不妨小块的下咽。读书正复如是，要读一切书，未必都能看懂，但只要不断章取义，识得个大概，也不妨零碎吞下，以备受用。孔老夫子的学生，有一天问孔老夫子说："阿有一句话而可以终生受用不尽的？"孔老夫子回答他一个"恕"字。好的，那么大家来奉行一个恕字吧！日本强盗夺去了东四省，我们"原谅"他。打到天津北平，我们还"原谅"他。打到上海，我们还“原谅”他。这么“原谅”下去，不是要把全中国断送了吗？可见得受用的东西，必须时时改变，决没有一生受用不尽的。孟夫子有个弟子，问孟夫子道：“从前人说，男女授受不亲，那么要是嫂子掉下水去，做夫弟的应该怎么？”孟夫子回答说：“一把给她拉上来。”又说：“男女授受不亲，礼也，嫂溺则援之以手，权也。”这就是孟子读了古书的受用处。孟子是将书中道理，和情理斟酌一番，加上了权变一个道理，将礼的作用更扩大起来。博览诸书，贵在受用；但受用云云，却在融会。务需拿书中适合于自己的生活经验，来受用，而不拘泥于书。但能不拘泥于书，又博览群书不辍。盖书中之理，人事之情，交迭为用，而个人的生活经验，自更扩大。

第三，能使生活不偏枯。

读书固在于求智识，增加生活经验，但又需注重趣味。林语堂先生是最注意于读书的艺术的。

什么才叫做真正读书呢？这个问题很简单，一句话说，兴味到时，拿起书本来读。

又说：

> ……读书时，须开放心胸，仰视浮云，无酒且过，有烟更佳。……或在暮春之夕，与你们的爱人，携手同行，共到野外读《离骚》经，或在风雪之夜，靠炉围坐，佳茗一壶，淡芭菰一盒，哲学，经济，诗文，史籍数十本，狼藉横陈于沙发之上，然后随意读之，取而读之，这才得了读书的兴味。

这样的读书法，自然也是博览的一种，可是太过名士风雅，一般青年断无如此优闲。这也只有像林语堂先生那样才情境遇，才能用那样读书方法。但因之，我并不是不主张博览。我的意思，博览群书，即使不摆出林语堂先生所说那样风雅，也还可以济学者生活的偏枯。研究自然科学的人，要是能留下一些时间，看看文艺书籍，那就觉得妙境无穷，精神为之一振。专攻文学的人，要是能留下一些时间，来看看显微镜下的苍蝇的脚趾，那就会会悟描写人物放大缩小的道理。这是从读书生活的兴味上来说的。同时，一个人活在这社会上，必然有生活之累。因为人类社会没有可能使一个人的学业和职业合致之前，人还得为生活而束缚于职业。有职业的人，生活易流于刻板，而生趣索然。若能于暇时随便浏览书籍，不一定要取研究似的态度来读；这也确能于偏枯生活中唤起新精神。

还有，读书影响人生非常鲜明。学生物学或解剖学的人，据说，有时不免残忍。生命对于他们，如同儿戏。所以南京有个有名的生物学家，在前年《大公报》上作星期论文时，主张捕杀几个赤色教授，所谓“杀一而惩百”是也。但如其那个生物学家更多看些别的富于同情的书籍，他说出来的话，也不至于那么残忍。他的人生观，也决不是永攒在势利的圈子里了。

至于博览群书，对于做学问工夫，却也是必要的手段，倒不一定为的是搜索参考资料。鲁迅先生以为博览群书，有时倒为的容易比较，识别真伪。现在不妨把他那篇《随便翻翻》的短文，抄在下面：

我想讲一点我的当作消闲的读书——随

便翻翻。但如果弄得不好，会受害也说不定的。

我最初去读书的地方是私塾，第一本读的是《鉴略》，桌上除了这一本书和习字的描红格，对字（这是作诗的准备）的课本之外，不许有别的书。但后来竟也慢慢的认识字了。对于书就发生了兴趣，家里原有两三箱破烂书，于是翻来翻去，大目的是找图画看，后来也看看文字。这样就成了习惯，书在手头，不管它是什么，总要拿来翻一下，或者看一遍序目，或者读几页内容，到得现在，还是如此。不用心，不费力，往往在作文或看非看不可的书籍之后，觉得疲劳的时候，也拿这玩意来作消遣了，而且它也的确能够恢复疲劳。

倘要骗人，这方法很可以冒充博雅。现在有一些老实人，和我闲谈之后，常说我书是看得很多的，略谈一下，我也的确好像书看得很多，殊不知就为了常常随手翻翻的缘故，却并没有本本细看。还有一种很容易到手的秘本，是《四库书目提要》，倘要怕繁，那么，《简明目录》也可以，这可要细看，它能做成你好像看过许多书。不过我也曾用过正经工夫，如什么“国学”之类，请过先生指教，留心过学者所开的参考书目。结果都不满意。有些书目开得太多，要十来年才能看完，我还疑心他自己就没有看；只开几部的较好，可是这须看这位开书目的先生了，如果他是一位糊涂虫，那么，开出来的几部一定也是极顶糊涂书，不看还好，一看就糊涂。

我并不是说，天下没有指导后学看书的先生，有是有的，不过很难得。

这里只说我消闲的看书——有些正经人是反对的，以为这么一来，就“杂”！“杂”现在又算是很坏的形容词。但我以为也有好处。譬如我们看一家的陈年酒账，每天写着“豆腐三文，青菜十文，鱼五十文，酱油一文”，就知先前这几个钱就可买一天的小菜，够一家吃；看一本旧历本，写着“不宜出行，不宜沐浴，不宜上梁”，就知道先前是有这么多的禁忌。看见了宋人笔记里的“食菜事魔”，明人笔记里的“十彪五虎”，就知道“哦呵，原来‘古已有之’”。但看完一部书都是些那时的名人轶事，某将军每餐要吃三十八碗饭，某先生体重一百七十五斤半；或是奇闻怪事，某村雷劈蜈蚣精，某妇产生人面蛇，毫无益处的也有。这时可得自己有主意了，知道这是帮闲文士所做的书。凡帮闲，他能令人消闲得最坏，他用的是最坏的方法。倘不小心，被他诱过去，就坠入陷阱，后来满脑是某将军的饭量，某先生的体重，蜈蚣精和人面蛇了。

讲扶乩的书，讲婊子的书，倘有机会遇见，不要皱起眉头，显示憎厌之状，也可以翻一翻。明知道和自己意见相反的书，已经过时的书，也用一样的办法。例如杨先生的《不得已》是清初的著作，但看起来，他的思想是活着的，现在意见和他相近的人们正多得很。这也有一点危险，也就是怕被它诱过去。治法是多翻，翻来翻去，一多翻就有比较，比较是医治受骗的好方法。乡下人常常误认一种硫化铜为金矿，空口是和他说不明白的，或者他还会赶紧藏起来，疑心你要白骗他的宝贝。但如果遇到一点真的金矿，只要用手掂一掂轻重，他就死心塌地的明白了。

“随便翻翻”是用各种别的矿石来比的方法，很费事，没有用真的金矿来比的明白，简单。我看现在青年的常在问人该读什么书，就是要看一看真金，免得受硫化铜的欺骗。而且一识得真金，一面也就真的识得硫化铜，一举两得了。

但这样的好东西，在中国现有的书里，却不容易得到。我回忆自己得到的一点知识，真是苦得可怜。幼小时候，我知道中国在“盘古氏开辟天地”之后，有三皇五帝，……宋朝，元朝，明朝，“我大清”。到二十岁，又听说“我们”的成吉思汗征服欧洲，是“我们”最阔气的时代。到二十五岁，才知道所谓这“我们”最阔气的时代，其实是蒙古人征服了中国，我们做了奴才。直到今年八月里，因为要查一点故事，翻了三部蒙古史，这才明白蒙古人的征服“斡罗思”，侵入匈奥，还在征服全中国之前，那时成吉思汗还不是我们的汗，倒是俄人被奴的资格比我们老，应该他们说“我们的成吉思汗征服中国，是我们最阔气的时代”的。

我久不看现行的历史教科书了，不知道里面怎么说；但在报章杂志上，却有时还看见以成吉思汗自豪的文章。事情早已过去了，原没有什么大关系，但也许正有着大关系，而且无论如何，总是说些真实的好。所以我想，无论学文学的，学科学的，应该先看一部关于历史的简明而可靠的书。但如果专讲天王星，或海王星，虾蟆的神经细胞，或只咏梅花，叫妹妹，不发关于社会的议论，那么，自然，不看也可以的。

我自己，是因为懂一点日本文，在用日译本《世界史教程》和新出的《中国社会史》应应急的，都比我历来所见的历史书类说得明确。前一种中国虽有译本，但只有一本，后五本不译了，译得怎样，因为没有见过，不知道。后一种，中国先有译本，叫作《中国社会发展史》，不过据日译者说，是多错误，有删节，靠不住的。

我还在希望中国有这两部书。又希望不要一哄而来，一哄而散；要译，就译它完；也不要删节，要删节，就得声明，但最好还是译得小心，完全，替作者和读者想一想。

这一篇短文，我把它全抄了。这因为，自始至终，鲁迅先生虽然在说自己消闲的读书法——随便翻翻。但道出了不少的个中甘苦。读者读了这篇文字，自可以设身置地来想一想。这里，鲁迅先生指出的有几点，第一，随便翻翻，首先得有一点历史的知识。第二，随便翻翻，可以多得比较机会，能辨识“真金”和“硫酸铜”。第三，相互比较中，不但可以识得“真金”，而且能养成自己一种正确的观念。这倒不如一般人所想，乱读使思想散漫，毫无好处。恰恰相反，它还能使读者求出一个正确的答案，而不至于偏守成见的。

英国的大政治家而且是文学家穆莱，曾经对于这事，说过这样的话：

> ……我倒是个妥协论者。在初学者，乱读之癖虽然颇有害，但既经修得一定的专门的人，则关于那问题的乱读，未必定是应加非议的事。因为他的思想，是有了系统的，所以即使漫读着怎样的书，那断片底知识，便自然编入他的思想底系统里，归属于有秩序的系体中。因为这样的人，是随地摄取着可以增加他的知识的材料的。

这也是主张“博览群书”的一种意见。我上面曾提到过，那清朝史学家章实斋，他在《文史通义》的《博约篇》下，有说：

> 后儒途径所由寄，或于义理，或于制数，或于文辞，三者其大较矣。三者致其一，不能

缓其二，理势然也。知其所致为道之一端而不以所缓之二为可忽，则于斯道不远矣。徇于一偏而谓天下莫能尚，则出奴入主，交相胜负，所谓物而不化者也。是以学必求其心得，业必贵于专精，类必要于扩充，道必抵于全量，性情喻于忧喜愤乐，理势达于穷变通久，博而不杂，约而不漏，庶几学术醇固，而于守先待后之道，如或将见之矣。

这却是主张博就是求精之道了。因为要专精，要有心得，首先必须有一般的知识，有全个的把握。略懂社会科学的人，知道我们观察社会现象必须从整个的来看，从个别的相互间的关系来看，从动态来看。这里所说的为学的主张，和这说法颇有相同之点。从整个的学问部门中来求真理（道必抵于全量），从学问的各部门中来扩充知识（类必要于扩充），然后专攻一业，以求学问上的心得。这说法，我以为是相当合理的。那么，就让以下再来谈谈——

三、精读的方法

有的人以为精读的方法，只是学者做学问工夫时用得着，一般人读书，不必下此苦功。这倒也不尽然。

首先说做人。做人除每个人应尽国民一分子的责任以外，怕还应该对于社会有所贡献吧。所谓对社会有所贡献，那就是说每个人以自己的专长服务社会。纪德说过一句很好的话：

> 我是个国际主义者，但同时，我又是个法兰西人。我是个社会主义者，但同时，我又是个个人主义者，因为我以我个人所最优长者贡献于社会。（大意）

这可见无论何人，他对于社会，是或多或少都有影响的。为扩大我们的影响，我们必须专精于一业。一业之得以专精，必须先于那一业的学术有深切的研究。精读的方法，在此就占很重要的地位。

关于精读的方法，胡适之先生那篇《读书》里讲得很详尽，现在抄录在下面，以供参照。

什么叫“精”？

我们小的时候读书，差不多每个小孩都有一书签，上面写十个字，这十个字最普遍的就是“读书三到：眼到，口到，心到”。现在这种书签虽不用，三到的读书法却依然存在。不过我以为读书三到是不够的，须有四到，是：“眼到，口到，心到，手到”。我就拿它来说一说。

眼到是要个个字认得，不可随便放过。这句话起初看去似乎很容易，其实很不容易。读中国书时，每个字一笔一画都不放过。近人费许多功夫在校勘学上，都因古人忽略一笔一画而已。读外国书要把 A，B，C，D…… 等字母弄得清清楚楚。所以说这是很难的。如有人翻译英文，把 port 看作 pork，把 oats 看作 oaks，于是葡萄酒一变而为猪肉，小草变成了大树。说起来这种例子很多，这都是眼睛不精细的结果。书是文字做成的，不肯仔细认字，就不必读书。眼到对于读书的关系很大，一时眼不到，贻害很大，并且眼到能养成好习惯，养成不苟且的人格。

口到是一句一句要念出来。前人说口到要念到烂熟背得出来。我们现在虽不提倡背书，但有几类的书，仍旧有熟读的必要：如心爱的诗歌，如精彩的文章，熟读多些，于自己的作品上也有良好的影响。读此外的书，虽不须念熟，也要一句一句念出来，中国书如此，外国书更如此。念书的功用能使我们格外明了每一句的构造，句中各部分的关系。往往一遍念不通，要念两遍以上，方才能明白的。读好的小说尚且要如此，何况读关于思想学问的书呢？

心到是每章每句每字意义如何？何以如是？这样用心翻究。但是用心不是叫人枯坐冥想，是要靠外面的设备及思想的方法的帮助。要做到这一点，须要有几个条件：

（一）字典，辞典，参考书等等工具要完备。这几样工具虽不能办到，也当到图书馆去看。我个人的意见是奉劝大家，当衣服，卖田地，至少要置备一点好的工具。比如买一本《韦氏大字典》，胜于请几个先生。这种先生终身跟着你，终身享受不尽。

（二）要作文法上的分析。用文法的知识，作文法上的分析，要懂得文法构造，方才懂得它的意义。

（三）有时要比较参考，有时要融会贯通，方能了解。不可但看字面。一个字往往有许多意义，读者容易上当。例如 turn 这字：

作外动字解有十五解，

作内动字解有十三解，

作名词解有二十六解，

共五十四解，而成语不算。

又如 strike：

作外动字解有三十一解，

作内动字解有十六解，

作名词解有十八解，

共六十五解。

又如 go 字最容易了，然而这个字：

作内动字解有二十二解，

作外动字解有三解，

作名词解有九解，

共三十四解。

以上是英文字须要加以考究的例子。英文字典是完备的；但是某一字在某一句究竟用第几个意义呢？这就非比较上下文，或贯串全篇，不能懂了。

中文较英文更难，现在举几个例：

祭文中第一句“维某年月日”之“维”字，究作何解？字典上说它是虚字。《诗经》里“维”字有二百多，必需细细比较研究，然后知道这个字有种种意义。

又《诗经》之“于”字，“之子于归”“凤凰于飞”等句，“于”字究作何解？非仔细考究是不懂的。又“言”字人人知道，但在《诗经》

中就发生问题，必须比较，然后知“言”字为联接字。诸如此例甚多，中国古书很难读，古字典又不适用，非是用比较归纳的研究方法，我们如何懂得呢？

总之，读书要会疑，忽略过去，不会有问题，便没有进益。

宋儒张载说：“读书先要会疑。于不疑处有疑，方是进矣。”他又说：“在可疑而不疑者，不会学。学则须疑。”又说：“学贵心悟，守旧无功。”

宋儒程颐说：“学原于思。”

这样看起来，读书要求心到；不要怕疑难，只怕没有疑难。工具要完备，思想要精密，就不怕疑难了。

现在要说手到。手到就是要劳动劳动你的贵手。读书单靠眼到，口到，心到，还不够的，必须还得自己动动手才有所得。例如：

（一）标点分段，是要动手的。

（二）翻查字典及参考书，是要动手的。

（三）做读书札记，是要动手的。札记又可分四类：

(A) 抄录备忘。

(B) 作提要，节要。

(C) 自己记录心得。张载说："心中苟有所开，即便札记。不则还塞之矣。"

(D) 参考诸书，融会贯通，作者系统的著作。

手到的功用。我常说：发表是吸收智识和思想的绝妙方法。吸收进来的智识思想，无论是看书来的，或是听讲来的，都只是模糊零碎，都算不得我们自己的东西。自己必须做一番手脚，或做提要，或做说明，或做讨论，自己重新组织过，申叙过，用自己的语言记述过，——那种智识思想方才可算是你自己的了。

我可以举一个例。你也会说"进化"，他也会谈"进化"，但你对于"进化"这个观念的见解未必是很正确的，未必是很清楚的；也许只是一种"道听途说"，也许只是一种时髦口号。这种知识算不得知识，更算不得是“你的”知识。假如你听了我的这句话，不服气，今晚回去就去遍翻各种书籍，仔细研究进化论的科学上的根据：假使你翻了几天书之后，发愤动手，把你所研究写成一篇读书札记；假使你真动手写了这么一篇“我为什么相信进化论”的札记，列举了：

（一）生物学上的证据；

（二）比较解剖学上的证据；

（三）比较胚胎学上的证据；

（四）地质学和古生物学上的证据；

（五）考古学上的证据；

（六）社会学和人类学上的证据。

到这个时候，你所有关于“进化论”的知识，经过了一番组织安排，经过了自己的去取叙述，这时候这些知识方才可算是你自己的了。所以我说，发表是吸收的利器；又可以说，手到是心到的法门。

至于动手标点，动手翻字典，动手查书，

都是极要紧的读书秘诀，诸位千万不要轻轻放过。内中自己动手翻书一项尤为要紧。我记得前几年我曾劝顾颉刚先生标点姚际恒的《古今伪书考》。当初我知道他的生活困难，希望他标点一部书付印，卖几个钱。那部书是很薄的一本，我以为他一两个星期就可以标点完了。哪知顾先生一去半年，还不曾交卷。原来他于每条引的书，都去翻查原书，仔细校对，注明出处，注明原书卷第，注明删节之处。他动手半年之后，来对我说，《古今伪书考》不必付印了，他现在要编辑一部疑古的丛书，叫做“辨伪丛刊”。我很赞成他这个计划，让他去动手。他动手了一两年之后，更进步了，又超过那“辨伪丛刊”的计划了，他要自己创作了。他前年以来，对于中国古史，做了许多辨伪的文字；他眼前的成绩早已超过崔述了，更不要说姚际恒了。顾先生将来在中国文(应为史——编者)学界的贡献一定不可限量。但我们要知道他成功的最大原因，是他的手到的工夫勤而且精。

我们可以说，没有动手不勤快而能读书的，没有手不到而能成学者的。

以上是胡先生所说的精读的方法，在我以为不必对每一本书要这样做的。所谓读书要精，还包含两个意义。其一是在学问的各部门中，精专一种。学文学的精于文学，学哲学的精于哲学。……在文学哲学等等部门中，又可精专于一项。如文学批评，创作，文学史，翻译。创作中又以精专于一种：小说，戏曲，诗歌。这是学业上的精专。其次，自然是读书方法的精细了。精细是对于所读的书一丝一毫不放过的意思，自其形象——文字——以至其内容，都必须透彻明了，而且深深地记住。这就须有如胡适之先生所提倡的四到工夫了。

但这里，我也有点不同的意见。杜甫说："读书破万卷，下笔如有神。"这里所谓"破"，到不一定是手到工夫。而是"心到"，惟心到始能"如有神"。我的意思是，精细的读书法，主要在于"思索"，"学而不思则罔"，这话极有道理。一本书到手，我们可分如下几步程序来读：

第一，先看目录和章节。因为，每一本书，如其是有系统的著作，那么在其目录与章节中，我们可探索那作者思想的体系。我们先从那目录和章节中来自己下一番思索工夫。由于自己的意思，依照该书目录或章节，造成一个思想体系。然后，再看看它的序文，或后记，来印证和自己所思索的是否相同。于是——

第二，一口气读它个完尽。这一步工夫，叫做“识得大体”。因为无论什么书，零零碎碎读，断断续续读，就不能得到它整个的概念。一口气读，心神既专一，书理自易融会贯通。读完之后，在我们脑子里，必然会有一种思想的整个的轮廓出现了。

第三，这时，我们得掩上书本，把自己所预先构想的，和书中的思想来个比较，来个相互批判。然后——

第四，再来句斟字酌的仔仔细细的读它一遍。这时有须用字典时，也应该用字典，有须节抄的，也应该节抄。这一回印象，必然补充了第一回读时的印象。有时也许校正自己理解的错误；有时，也许更发现作者思想的不合理处。——这一阶段，可以用得着“四到”工夫了。

但这么仔细来实施了一会“四到”工夫，还是不够。最后，还必须再统读一过。因为这一会统读，是将零碎发见的误解或错误，或真理，给系统化了。

也许有人以为这“五步法”，有个很大的毛病，即太注重主观的思索，容易误解，也容易固守自己的成见。这说来也有道理。但素朴的校勘家，和素朴的考证家，对于学问的建设上，固然不是毫无功劳，然而决不是将人类文化一阶段一阶段向前推进的创造者。这于人类社会的贡献，可说是比较少的。读书而承章摘句，那是腐污之所为。读书的最终目的，是在于书中的思想与意义之正确的把握。文字工夫固然要下；但将一切工夫下在文字的考订上，将必然使书中整个思想体系，分割碎裂，而一无所得。这是为读书而读书，终于将人生淹没于书本里面，而不是从书中吸取他人之生活经验，以扩充自己的生活经验。那又何必要读书呢。

写到这里，我又记起《思想，山水，人物》的作者鹤见佑辅，那一篇《读书的方法》。我把那书打开一看，在第八节里这么写着：

还有一种读书法，是我们普通人到底难以做到的高尚的方法。这就是做了《罗马盛衰史》的吉朋，以及韦勃思泰 (D.Webster)，斯忒拉孚特 (Th.W.Strafford) 这些人所实行过了的方法。吉朋自己说过——

我每逢得到新书，大抵先一瞥那构造和内容的大体，然后合上那书，先行自己内心的试验。我一定去散步，对于这新书所论的题目的全体或一章，自问自答，我怎么想，何所知，何所信呢？非十分做到自己省察之后，是不去翻开那一本书的。因为这样子，我才站在知道这著作给我什么新知识的地位上。也就是因为这样子，我才觉得这著作的同感的满足。或者在全然相反的意见的时候，也有预先自行警戒的便宜。

这可见吉朋那样，将半生倾注在“罗马史”的史家，因为要不失批判的正鹄，所化费了的准备是非寻常可比的。然而，这是对于那问题已经积下了十分的造诣以后的事，我们的难于这样地用了周到的准备来读书，原是不消多说的。

这一段书里所引证的吉朋的读书法，大体上，和我上边所说的五步法，是有点相同的。因为两者原则上，都是侧重于自己的思索。但我以为这样的读书法，需有相当的根底，原是实在的，若说我们难于做到，那也不过我们懒于思索的推诿罢了。我实在不敢苟同鹤见的意见。

此外鹤见君还有三种读书方法，顺便也抄录于后，聊备读者采用：

第一的方法，是最通行的方法，就是添朱线。

那线的画法也有好几样。有单用红铅笔，在旁边画线的；也有更进而画出各样的线的。新渡户博士，是日本有数的读书家；读过的东西，也非常记得。试看先生的读过的书，就画着各种样子的线，颜色也分为红铅笔和蓝铅笔两种类：文章好的地方用红，思想觉得可以佩服的地方用蓝，做着记号。而且那线，倘是西洋书，便分为三种：最好的处所是下线(underline)，其次是圈（很大，亘一页全体），再其次是页旁的直线。

英国的硕学，威廉·哈米尔敦(William Hamilton)这样说：——

"倘能妙悟用下线，便可以得到领会重要书籍的要领的方法。倘照着应加下线的内容的区别，例如理论和事实的区别，使所用的墨水之色不同，则不但后来参照时，易于发见，即读下之际，胸中也生出一种索引一般的东西来，补助理解，殊不可量度。"

这下线法，是一般读书人所常用的，如果在余白上，再来试加记注，则读书的功效，似乎要伟大。

这方法里面，又有详细地撮要以便记忆的人；也有将内容的批判写在上面的人。倘将批评写在余白上，当读书的时候，批评精神便常常觉醒着，所得似乎可以更多。这一点，是试将伟大的学者读过的书，一一比较研究一下，便大有所得的。

其次的方法，是一面读，一面摘录，做成拔萃簿。这是古来的学者所广用的方法，有了大著述之类的人，似乎大概是作过拔萃的。听说威尔逊大总统之流，从学生时代起，便已留心，做着拔萃。现在英国的大政治家，且是文豪的穆莱卿，也这样地说过：——

“有一种读书法，是常置备忘录于座右，在阅读之际，将特出的有味的富于暗示的没有间断地写上去。倘要将这便于应用，便分了项目，一一记载。这是造成读书时将思想集中于那文章上，对于文意能得正解的习惯的最好的方法。”

但于此有反对说，史家吉朋 (E. Gibbon) 说：——

“拔萃之法，决不宜于推赏。当读书之际，自行动笔，虽然确有不但将思想印在纸上，并且印在自己的胸中的效验，但一想到因此而我们所浪费的努力颇为不少，则相除之后，所得者究有多少呢？我不能不很怀疑。”

我也赞成吉朋的话。因为常写备忘录的努力，很有减少我们读书的兴味，读书变成一种苦工之虑的。不但这样，还会生出没有备忘录，便不能读书的习惯，将读书看作难事。而读书的速率，也大约要减去四分之一。无论从这一方面看，拔萃法总不像很好的办法。倒是不妨作例外看，有时试用的罢。

比拔萃法更有功效的读书法，是再读。就是将已经加了下线的书籍，来重读一回。英国的硕学约翰生(S.Johnson)博士曾论及这事道：——

“与其取拔萃之劳，倒是再读更便于记忆。”

我以为这是名言。因为拔萃势必至于照自己写，往往和原文的意义又会不同。再读则不但没有这流弊，且有初读时未曾看出的原文的真意，这才获得的利益。尤其是含蓄深奥的书籍，愈是反复地看，主旨也愈加见得分明。

以上三种读书法，在中国从前学者常用的，便是拔萃法。而且这些拔萃的著作，有时成为中国很有名的书籍，如王应麟的《困学记闻》和王念孙的《读书杂志》。不过这里有一点不同，即这些书籍里记下的东西，大都是学者读书的心得，或发见。又如顾炎武的《日知录》，也可以称作一种读书的札记，但是有见地的读书札记。此外也有自己并无心得，将旧书的精华处记下来的，则有《左传句解》，和赵翼的《二十四史约编》。这就不很重要了。至如《十通》之类，将旧日简编中经济政治文化各部门予以分类排比的，这虽不一定是读书的拔萃，但也可说是拔萃方法的扩充。

总之，读书的方法，即使一个人，也应有种种的不同。即应该看书的实质种种不同而变化。最有定评的名著，我们要精看的，那么可用拔萃法，将它扼要处，一一记下来。因为最有定评的名著，便是最难看的书，我们很不容易一看以后即行了然。非仔仔细细加以思想体系的整理，便不易了解。这时，“手到”确是能帮助我们思索的。但一般的书，我们可以约略看过的，似乎也不必都要这么做，弄得耗费时间，并减少读书的兴味。同时，即使用“手到”的拔萃法，我以为也不必“承章摘句”。这，除备自己作文时，可予以引证应用外，便很少用处。一个有能力有天才的作者，不在东抄西节，而在于融会贯通，将个人独特的而近于真理的见解写出，所以以前读过的书，都成为自己的血或肉，在执笔之时，就如同茧之抽丝，会一缕缕条理清晰地不期然的抒发出来的。这样，才可说是“读书破万卷，下笔如有神”。所以读书的方法，应该是将自己的生活经验与书中的相呼应，因而把发生的某种意思记下，才有用处。列宁在读黑格尔的哲学书籍时，就有手记。从这些手记里，我们还可看到一个作者的本身的思想。固然，这仍须读书的人有对于该书籍的智识的相当程度。但青年时代的读书，我则以为，首先要博。博则不必用若何精读的方法。待在广博学术之海中，自己找到了自己所要走的一条航路时，那才可能做这一步精读的工夫了。

第四章　找求生活的线索

读书需有方法，我们已在上章说过，但是天下的书，汗牛充栋，叫我们究竟读些什么书才合适呢？

这问题，要是在一百年前提出，那是容易回答的，因为那时候所谓读书，不外是经史子集的诵读与熟记。而这些书籍，卓然名家的也不很多。所以有人说：

> 买书不可不多，而看书不可不知所择。韩退之为千古大儒，而自述其所服膺之书不过数种：曰《易》、曰《书》、曰《诗》、曰《春秋左传》、曰《庄子》、曰《离骚》、曰《史记》、曰相如子云。柳子厚自述其所得：正者，曰《易》、曰《书》、曰《诗》、曰《礼》、曰《春秋》；旁者，曰《谷梁》，曰《孟》、《荀》，曰

《庄》、《老》，曰《国语》，曰《离骚》，曰《史记》。二公所读之书，皆不甚多。(曾文正公语，见邹福保所纂《读书鉴》)

即不然把所有的书，分做经世、谈道、纪事、遣情四类，则亦可如亢铁卿《危言》所说：

读书贵拣择，经世之书上也。谈道之书次也；纪事之书次也；遣情适性之书，又其次也；其余吾不欲观矣。

这么一来，读什么书，问题也就很容易解决了。但是现在的书，自然科学，社会科学，哲学文学书籍，何止万千，我们要读，真有无从读起之概。这些书里，又有许多外国翻译过来的书。即如文学来说，又有文艺批评与理论的书籍，文学史的书籍，小说、戏曲、诗歌等书籍。又不知从那里读起才好。陈钟凡在“读什么书”一篇演讲里，把中国书分做三大类：史学，哲学，文学。他以为读历史，须读通史和专史。通史中国现在还没有。

专史如《宋儒学案》、《明儒学案》还有几册，但都不易读。哲学有儒道墨三家，各有专书可读。文学书应读的很多，自《诗经》以至屈原，宋玉、曹氏父子、王粲、李白、杜甫，王实甫的《西厢记》、汤显祖的《牡丹亭》，《三国志》，《水浒》，《红楼梦》，皆得一读。其实这样的说法，还是非常挂一漏万的。

我以为，要读什么书，只有各人自己来定夺。谁也不能为谁作主。而各人自己如何来决定，那又在于各人的生活如何，由生活而产生需要，由需要而决定自己所要读的书。关于这一点，我们可以从这几年来书籍的销路上看得出来。

五四运动的时候，由于民族资产阶级对于思想解放的要求，文哲书籍，曾经盛行过一时。中华书局，曾出了一大套哲学的丛书，商务也出过不少的文学的丛书。之后，五四的思想解放运动，大部分着力于新文学运动上，文学书籍，也曾风行过一时，创造社和文学研究会出过不少的文学书籍。但这些还不能很明显反映出读者的要求，等到一九二七年以后，大部分的革命的知识分子，鉴于前期革命的行动中，自己对于革命的理论的缺乏，因而对于社会科学的理论书籍的要求非常之高。中国的出版界，在一九二七年左右，差不多是社会科学的书籍占了支配的地位。因之有几家以文艺书籍起家的小书店，遭受了非常大的打击，不得不改变出版的方针。这一时期的社会科学书籍，大半是偏重于纯理论的。一切世界的名著:《反杜林论》,《唯物论与经验批判论》,《唯物史观》,《费尔巴哈论》…… 都在这时候出现的。就是文艺书籍，也偏重于新兴科学的艺术理论的介绍。之后，又由于革命政党政治路线的错误，城市小资产阶级部分的受到政治上的打击和压迫，社会科学书籍遭遇了残酷的禁止和焚毁，智识分子的读书的要求，又转换到另一方面：文艺书籍重新兴盛起来。良友的文学书籍，现代的文学丛书，以及生活的文学杂志，也都应时出版。一到近几年来，由于国难日急，智识分子对于书籍的要求，既不是纯理论的社会科学书籍，也不是文艺书籍，而是比较侧重于现实的分析与批判的社会科学书籍，以及富有实践性的救亡理论书籍。同时，比较经过作者本人融化过的通俗理论书籍，也大受欢迎。这就表现出一切书籍的出版，都是随着读者大众生活实践的要求而决定的。这现象，一方面固然是好的，学术与实用，处处相互联系起来。但另一方面，也有坏处，即学术的浅薄化。

不过，话还得回来说，近来青年一般的读书的倾向，我以为是正确的。读书既是生活的实践，我们就不能拣那和现代生活隔离得极远的书籍来读。我们在此虽然不能确定的说：某书应读，某书不应读，但我们有一个原则是可决定的：

先读现代的书籍。

这可从好几方面来讲。第一，书籍既然是人类生活经验的积累，那么越是现代的书籍，便是越和自己生活相接近，便越易使自己理解。生在资本主义的社会里，对于判解资本主义社会的书籍，自然容易理解。《死魂灵》里的乞乞科夫，和其他的地主的一群，这都是俄国没落贵族和地主的典型，有许多，我们是可以理解的，但决没有像阿Q对于我们那么亲切；《儒林外史》里许多典型的读书人，我们固然也是可以理解的，但决没有像茅盾《三部曲》里那些智识分子那么面善。第二，越是现代的书，对于读者越切实有用。孔老夫子也有他的政治哲学和他的政治理想。他的政治哲学，便是亲亲而仁民，仁民而爱物。以忠和孝为它的主要骨干。这，在封建社会里是适合的。因为君权和父权，便是这一社会最高的权力。他的政治理想，便是“民可使由之，不可使知之”，“刑不上大夫，礼不下庶人”的君权独断的贵族阶级社会底创造。但这，和中山先生的政治哲学与理想相比较，则显然陈旧，不切于实用了。中山先生也讲博爱精诚，但立脚于平等自由的基础上，“仁民爱物”云云，是先将自己的高贵的地位确定了，聊以表示慈爱罢了。而不是站在平等地位上的互爱。中山先生的三民主义，主要就是求地位平等政治平等经济平等的。中山先生所要实现的理想世界，决不同于保育政策下的封建社会。拼命诵习《四书五经》，要来改造目前社会，那不过王莽的新政和王安石的变法的覆辙，决不会有什么“新的成功”。但能彻底实现中山先生的政治理想，却无疑地是尽了历史的任务的。现代人于中山先生的书籍不可不读，但《四书五经》尽可不读。第三，现代的书一定比古代的书进步而且优越。这不是说所有现代的书，都比古代好。这是说，大体上看来，即从学术的总的成就上看来，总比古代进步。有的人说，古代的书一定比现代好。因为古代的书，经过了时间的淘汰，已经将站不住足的消灭了，留下的就是不可磨灭的。而现代的书还未经时间淘汰，实在拣不到好书，所以读书应先读古书。我以为不然。从任何学术一部门来看，它只有向前发展，决没有向后退步的。否则人类社会也必得复反野蛮时代去了。书籍是人类文化之所寄，那有向后退的道理。比如，就社会主义这一门学问来讲吧。最初，有柏拉图的乌托邦。之后有圣西门，傅立叶，欧文等的空想社会主义，这已经进了一步。一到马克思的《资本论》出世，那社会主义的理论，已从空想的转到科学的了。可是马克思的理论，还仍止于资本主义的阶段，一到列宁的《帝国主义论》出世，科学的社会主义又更向前进了一步。这自然因为“历史的情势，对于社会主义的创造者，有决然的影响。不成熟的理论，正和不成熟的资本主义生产状态，不成熟的阶级情形相适应”（恩格斯语）。但我们因此却可断定的说，相应于人类社会的向前发展，现代书籍也必然比古代的为优越。

但正和社会的发展并不是一直线的，大都是螺丝形的一样，所以社会上时时有复古的倾向发生，这一时候，古书改造的还魂书籍，也是很多的，我们就不能不加以注意。例如，哲学里唯心论和心物并重的二元论，早已不值得一驳了。辩证的唯物论，可说已有最高的造诣。但也有一种人，以生物学的见地，和唯心论揉合起来，而造成了另一种生物学的哲学观，以为是超过了辩证的唯物论，但其实却是孔子的唯心哲学的借尸还魂。像这样的书，无疑是有害的，我们即在现代书中，也不能不加以选择。为不被这种有害的书所引诱，读现代书也有一个标准。

假如上面引证的亢铁卿对于书籍的分类是对的，即将所有书籍，分为：

一、经世之书——经济政治书籍；

二、谈道之书——哲学书籍；

三、纪事之书——历史，新闻，笔记之类；

四、遣性适情之书——文学书籍。

这四种（其实尚缺状物之书，即自然科学书籍一种），那么我们首先要读的宁可朴素一点，从新闻报章记载社会实相（也包括文学一部）之书入手。因为一切理论，不过是生活经验的抽象。即使不懂什么方法论的人，也能在广大的深厚的生活经验中，去找一个指示或结论。若是先看原则的理论的书籍，人就很容易陷入某一种偏见中。再说，一切最高的方法论，实是现实的自然法则，辩证法不是出自人的脑子里，而是从现实中抽象出来的一种自然演变的法则。学会了辩证法的一套公式，硬生生的向各种事物上去套用，那必然又成为机械论了。同样，一切经济政治的原则理论，也不过是一把锁匙，使我们容易打开一个门径罢了。若是把现实认识得清楚，认识得正确，那么在自己生活实践中，自然会产生一种经世之学来的。如果那把锁匙拿错，开出一头偏门，那危险却不可设想。所以读现代书，还不如先读记载社会实相的书籍。

再说，从读书的兴趣上说，我们也应该先读这种为是。书籍在其记载生活经验的抽象理论的时候，它已经是比较高级化了，不很容易使读者理解，兴味自然却少了点。若从那以具象的手法描出生活经验的书籍——如文学书籍——读起，一定能增加不少兴趣，养成一种读书的习惯；慢慢再进一步为高级的理论的探求，那也是读书循序渐进之一法。所以读现代书，我以为首先应饱读文学作品，历史纪事，报章杂志，次及于经济政治，次及于哲学。

不过讲到做学问工夫光读现代书是不够的。即使不为做学问工夫，要做个有用的人，光读现代书也还是不够的。比如，研究文学，光读些近人的作品，即动手来自己创作，其功力必然不很深厚。鲁迅、茅盾的作品固然要看，但《红楼梦》,《儒林外史》,《水浒》也得看。白话的作品固然要看，文言的作品也得看。自然，这里有个限度，看了《红楼梦》，不是叫自己下笔时，也得学《红楼梦》腔调，看了文言的作品，不是叫自己也来了一套“呜呼噫嘻”。就是看了鲁迅、茅盾的作品，我们的文章也决不学鲁迅、茅盾。文章不妨粗俗，笔调却必须是自己的。影响不可避免，模仿大要不得，我们所谓旧的书籍也得读，主要是找求生活的线索——人类社会的演变的痕迹，使自己养成识得大体的气魄，文学书籍，在某一观点上说，不读旧的还可以；有关于思想发展的理论书，却非懂得它演变的痕迹不可。在这里，我的主张是——

（一）先从现代的读上去。

（二）再从古代的读下来。

先从现代的读上去，就是先确认了某一部门学术，发展到现代的成绩和它的价值，然后追溯它的发展的痕迹，一步步往上探索；探索到它最后的终点，再从上而下的一步一步读下来。这样一来回，那么这一门学术，也就打下根底了。而这一门学术的真面目，也就认识得清楚了。这就是说，我们对于任何一种学问，固然要彻底理解它的内容，但我们更须理解它的发展的历史。比如说，我们读列宁的《帝国主义论》，我们固然可从这书的本身上，理解它的内容，但我们未必能全然理解。如其我们追溯上去，读一读《资本论》，那么，我们将更明白资本主义在如何条件下将必然发展为帝国主义（即使《资本论》不易读，我们能读一读考茨基的《通俗资本论》，也同样能增加我们对《帝国主义论》的理解）。可是《资本论》，我们读时仍旧有许多不理解处，那么我们再推上去读一读黑格尔的《历史哲学》或《大论理学》，和亚丹·斯密斯的《原富》，我们对于《资本论》也可更多一层理解了。这样一直倒溯上去，到了顶点，再追循下来，我们对这一门学问自然有彻底的理解了。说不定我们自己也可创作一部关于帝国主义的更进一步发展，或者说是到了没落阶段的法西斯主义论呢。

总之，一切的书籍，必须有“历史的”读法。我们所要读的书，就是用历史的眼光来选择。但，同时，我们还得——

硬着头皮读名著。

所谓名著，我们是可以解释为这一时代里包容人类生活经验最丰富，或寄托人类生活经验最高级的理论书籍。名著又可分为两种，一是历史上的名著，一是现代名著。历史上的名著，是它曾经有过支配一时代的势力的著作，现在则由于人类社会的演进而不适合了。但它在学术的历史上仍占很重要的地位。现代的名著，即是它在现代无论如何还占最优越的支配地位的书籍。我所谓“硬着头皮读名著”的名著，就是指现代的名著。自然，历史上的名著，我们也应该读一读，但现代的名著，却非硬着头皮读不可。比如，我们要懂得现代哲学，一切哲学的著作，我们都应读，都可读；柏格森的生命哲学，杜威、詹姆士的实验主义哲学，我们固然不妨读，通俗的《辩证法教程》，布哈林的《唯物史观》，以及反驳布哈林的《辩证法唯物论》，我们也不妨读；但我们却必须硬着头皮读《费尔巴哈论》,《反杜林论》和《唯物论与经验批判论》三册名著。自然，这三册名著是非常不容易读的，我们必须耐心地一页一页的来读，时时刻刻的来读。不懂的让它过去吞着读；或过了些时一再的重读。傅东华先生在有一处讲到他的“科学的读书法”说：

我心目中的“科学的读书方法”，并不是排书自定钟点，如单日读经，双日读史之类。这种机械的读书法，我曾经屡次试验，却屡次失败。倘如读书可照科学的方法，那至多也只能仿照科学的吞食法。无论你的饮料和食品是怎样经过科学的选择和支配，在饮食的过程中总得讲滋味。一本书，你初读时不觉得有滋味，你且暂时搁下来，等过些时再读，再不觉得有滋味，再搁下来，必要等到你真正感觉滋味的时候真算数。这样你才能够消化那本书，使它有益于你的精神营养，这就是我的“科学的读书法”。

我以为读名著，也可用这一别致的“科学读书法”。

至于文学上的名著，则我主张同时也应读历史的名著，不但《诗经》、《离骚》、唐诗、宋词、元曲、《红楼梦》，《西厢记》，《水浒》都应该读，即如莎士比亚，狄更司，果戈里，托尔斯泰各人的名著，都应该读。甚至于《圣经》，希腊的《拟曲》，我们也应该读。自然，现代的名著，如高尔基的《莎姆金的一生》，我们更是非读不可的。这因为文学作品是人类生活之具象的描出；名著之所以为名著，在其人物与事象的把握与刻划上，是非常真实活跃而且复杂的。有时，且把人类本质的精神，都活鲜鲜地表现出来，可以增加我们对于人类精神发展的认识，与生活经验的丰富的教养。这是一。其次，文学作品终究是人类情感的产物，很富于感染性。因为人类的情感，其“作用”虽然随着时代有所变更，但其“本质”却比较带有永久性的。比如，忠臣烈士，为一姓皇帝死难，那不过是封建道德的表现。刻薄一点说，一个蠢笨的奴才而已。这种情感底“作用”——也就是所谓价值，是早不值我们一顾了。然而，我们一读到描写他们慷慨赴义的情形的文字时，我们不期然为之泪落。因为这种情感的本质的精神还是叫人佩服的。又如，近世文人的文集里，很多节妇烈女的传记，我们明知道，这种守节非常无谓，而且实在是不人道的，但当读到描述她们那种茹苦含辛与慷慨死节的行动时，我们也不能无动于衷。但最好的例子是《离骚》。屈原作的《离骚》，其中所包含的情感，不过怨怀王之信谗，自己做不了大官，施展不了一肚子才能而已，这也还是奴隶道德的表现。但当我们读到《离骚》里一节：

怨灵修之浩荡兮，终不察夫民心。众女嫉余之蛾眉兮，谣诼谓余以善淫。固时俗之工巧兮，偭规矩而改错。背绳墨以追曲兮，竞周容以为度。忳郁邑余侘傺兮，吾独穷困乎此时也。宁溘死以流亡兮，余不忍为此态也。鸷鸟之不群兮，自前世而固然。何方圜之能周兮，夫孰异道而相安？屈心而抑志兮，忍尤而攘诟。伏清白以死直兮，固前圣之所厚。……

及它末邻里：

已矣哉！国无人莫我知兮，又何怀乎故都！既莫足与为美政兮，吾将从彭咸之所居？

这，也不禁叫我们为之感动。再说，人类的有几种感情，恐怕永远是不变的。例如孟子所谓“不忍人之心”就是。“今人乍见孺子将入于井，皆有怵惕恻隐之心，非所以内交于孺子之父母也，非所以要誉于乡党朋友也，非恶其声而然也。”——这种不忍人之心，换句现代术语，也就是所谓“同情心”。所以文字里最高级的感情，应是表现那种同情心反抗精神与正义感之类的。次之，那就是表现男女爱恋之情的。成为历史上名著而遗留到后世的，应该是包含着这种高级情感的作品。《诗经》是中国最古的文学作品了。但其中就有不少还值得我们一读再读的作品，我们随便举个例子都可以。如《黄鸟》章，是咒骂活人殉葬的：

> 交交黄鸟，止于棘。谁从穆公？子车奄息。
> 维此奄息，百夫之特；临其穴，惴惴其慄！
> 彼苍者天，歼我良人。如可赎兮，人百其身！

这是如何富于同情心的作品，值得我们感动！又如《伐檀》章：

> 坎坎伐檀兮，
> 置之何之干兮。
> 河水清且涟漪。
> 不稼不穑，

胡取禾三百廛兮？
不狩不猎，
胡瞻尔庭有县貆兮？
彼君子兮，
不素餐兮。

这又是如何富于反抗的感情。此外的例子，我们也不胜枚举。总之，文学的名著，它必然有两个主要的特点。(一)是把握着人类生活经验最丰富最真实的一面。(二)是人类的最高级的感情的表现。历史上的文学名著，我以为还是值得我们一读的。但读文学的历史的名著——即所谓古书，一不小心，就容易倒在古书堆里，一生爬不起来。所以在这里我可套古人诗句，为之赋曰：

古文学名著可读而不可读，
可读者以其有真实东西，
不可读者以其读了而入迷！

第五章　以生活印证书籍

人生是一本大书，这句话，仿佛在五四时候，曾经流行过一时。之后，换了一种说法：有实践然后才有理论。其实，这两句话，还是可归源于我上面引用过的一付对联：

世事洞明皆学问

人生练达即文章。

不过以人生世事即为学问文章之全体，在现在说来，也不是全对的。人生世事里有学问文章，那可以说；正如，学问文章里也有人生世事。因为一个人所认识的人生世事，有时间与空间的限制，而书籍则是超时空间的，同样，有实践然后有理论，那固然不错，但理论却也可以指导。理论与实践之不可分离，正和书籍与生活之不可分离。书籍固然可以丰富我们的生活经验；我们的生活经验却也可以印证书籍，而得到透彻的理解。这里，有个故事。从那一册书上看来是忘记了，故事是这样的：

王阳明先生，有一天正跟弟子们在书房里讲学，忽然听得隔壁一个妇人，正在骂街。她声声口口的骂道："你这个没天理良心的呵！"王阳明就笑笑对弟子们说道："那妇人也在跟别人讲道呢。良知良能，也就是天理良心，是人生来便有的。"

这一故事，就是以生活来印证书籍里的证据。王阳明以天理良心来解释良知良能，正确与否，我们不必管它。总之，他能从生活中看出书中道理来是实。从前人的笔记里，常常有读了某书，不甚了然，但在生活中碰到某种事件，恍然大悟书中至理的记载。我们自己怕也有这种境遇。住在城市里的人，若是读到那样的诗：

山重水复疑无路，柳暗花明又一村。

那是无论如何不容易懂得这诗的好处的。但是一旦到乡下去玩，看到一道山又是一道山的锁着，绿柳成阴，山花烂漫，身处其境，再来细细回嚼那两句诗，就觉得意味深长了。又如：

商女不知亡国恨，隔江犹唱后庭花。

我们初读来，也未必能体验作者心中的凄凉。但当笔者写这书时，上海的敌军正占领了四郊而戏院里游艺场中，犹复弦歌不绝，笔者一听到这种声音，就不期然想起这两句东西，感到说不出的凄凉。所以，我们可以决然的说，以生活来印证书籍，那才能真真懂得书中意义。有些书籍，我们一时看了不懂，或者一点也没有被感动，我们因之就断说那书写得不好，不值一读，这是不对的。我们应该回过头来自己想一番，是不是我的生活和这书中所说的事理，隔离得太远了呢？在这种地方，理论家和批评家就得更加小心。比如，革命文学盛行的时候，一般青年的读者非常欢迎，蒋光慈的小说，有极好的销路。而另一些高瞻远瞩的批评家，却一笔予以抹杀，对于一些革命文学作品，总说是读不下去。其实，那时青年之所以欢迎蒋光慈的那种公式的而略带浪漫气味的革命文学作品，就因为他们的所谓“革命生活”，却也是公式而复浪漫的。高瞻远瞩的批评家，又和这作品中所描写的生活，太过隔膜了，终究不敢领教，惹起了非常大的反感。这里，公平的理论家和批评家，就应该追求出产生这一类革命文学作品的社会原因，才能击中它的要害，而予改正。而欲追求出这一原因，又赖批评家与理论家，对于生活有深切的实践。

毛泽东在他的《自叙传》里，有过这样一节话：

……在一九二〇年的冬天，我第一次政治地组织起工人来，并开始在马克思主义理论和俄国革命的影响之下，领导工人的运动。当我第二次到北京的期间，我读了许多关于俄国事情的书。很迫切的找译成中文的共产主义文献。有三本书是特别深印在我脑中，且因此建立了对于马克思主义的信心，自从我把它认为正确的历史史实后，一直没有发生过动摇。这三本书是《共产党宣言》——这是用中文最初出版的马克思主义书籍；考茨基的《阶级斗争》；还有吉尔枯普的《社会主义史》。在一九二〇年夏天，我已经在理论上乃至在某种程度的行动上是一个马克思主义者了，从这时以后，我就自认是一个马克思主义者了。

这一节话，就是说明毛泽东成为一个马克思主义者，在他以行动——也就是所谓生活印证书中的真理以后。所以我们又可以决然的说一句：最善读书的人，一定是读到书本以外去的人。这也就是说，能实践才能读书。

仍旧用毛泽东来作例子吧！在他领导革命运动的过程中，他和陈独秀的右翼的机会主义斗争，他和李立三的盲动主义斗争，处处显示了他的理论与认识的正确。按理说，陈独秀读书的工夫比毛泽东，要胜过许多，那么陈独秀的指导理论，应该比较毛泽东正确许多。可是，事实恰恰相反，国民党在一九二七年转变它的政策之际，毛泽东的指导理论，却得到大多数农民与工人的支持与拥护。而陈独秀的理论，却只能得到少数的智识分子中的少数书呆子，如彭述之等的支持，而终于宣告了破产与没落。这主要的原因，就是陈独秀始终不能以生活的实践，认识殖民地的中国农民的要求，将这要求与马克思主义的理论融化起来，定出一个为民众谋利益的政党的当前政策，反而抱残守缺地将马克思主义来机械的运用，造出没有基础的空头理论，把毛泽东他们的革命运动，估量为农民反叛行动。而毛泽东却以行动来读透马克思主义的理论。终于产生了坚强的今日所谓第八路军的前身——红军。

同样的事情，也可见之于列宁之指导俄国革命。当十月革命开始，西欧的一般马克思主义者，以为列宁指导的俄国革命一定会失败，因为俄国在那时还没有十分具备无产阶级革命的条件；换句话说，即俄国的资本主义还没到它必然崩溃的地步，无产阶级的革命是无法实现的。这种说法，无疑是只看到马克思指示的无产阶级革命的理论的一面，即革命的自然生长的一面，而忘却马克思所指示的另一面，革命的人为的力量。同时，又把俄国社会的情形，看得太单纯，只从资本主义的发展这一面来看，而忽视了这以外农民生活的极端困苦的情形。然而，列宁却把马克思主义的理论，在俄国的土地上给它深入地复杂地应用起来，而得到了正确的结论——终于创造了一个社会主义的国家。列宁在他创造社会主义的国家的过程中，和孟塞维克的斗争，和托洛茨基的不断革命论的斗争，都是非常艰苦的。尤其是托洛茨基，对于列宁的农民政策，时时加以反对和阻挠。但列宁真可谓读破了马克思的著作，他非常灵敏地运用马克思的理论。他坚决地主张革命领导权，应该归属于工人阶级，但看客观形势的变化，随时提出关于农民的口号。最初他叫出："打倒地主，中立富农，联络中小农。"接着，他又叫出："打倒地主富农，中立中农，联络贫农。"俄国革命有今日这么光辉的成功，无疑是列宁与斯大林将马克思主义在俄国土地非常灵敏地运用的结果。

回过来再说我们自己。我们更须时时刻刻在生活的实践中，来注意印证书本中所说的"真理"。自然，有时也许是"伪理"。比如，今天，抗日战争是展开了。过去主张联合各党各派各阶层一致对日的救亡理论，现在是部分的实现了。但我们参加这一抗战中的青年，就应该时时咀嚼那些救亡理论，是否切合于实际的？所谓民族统一战线的基础，到底是什么呢？章乃器先生对于这有过一篇文章：

一个村庄里出现了一只狼，它会伤害富家的孩子，也会伤害贫家的孩子，在平时利害不一致，但是，现在对于打狼这一件事，利害是一致的。它会咬张三的大腿，也会咬李四的大腿。张三和李四本来是世仇，但是对于打狼这一件事，大家却结成了战友。

三个兄弟有一块公有的土地，老大主张种稻，老二主张种棉，老三主张种鸦片，平时的意见是不一致的。有一天大水来了，冲破了防水堤的一只角；这时候三个兄弟对于赶修堤防这一件事，必然也是完全同意的。

我在去年六月间起草《全国各界救国联合会工作检讨》的时候，曾经写了这样的一段：

“联合战线的意义，可以用‘同舟共济’四个字来解释。一只船遇了险，船里面的人自然会忘记了平时一切党派的歧异和意见的冲突，而共同协力使这只船出险。那时候如果真有少数不顾大局的人，依然为了自己的行李而不顾大众的生命，那才是大众的公敌——汉奸。此外是不应该有另外的纠纷的。一切党派的歧异和意见的冲突，都只好在出险以后再来算账。然而，一度共过患难之后，也许就不必再算账了。”

这三个比喻可以说明民族统一战线的基础，是超党派超阶级的——简单的说，是超经济的。

我们说“超经济”，并不是否定了经济在历史上的决定意义，而是说在某一种经济制度底下，会产生出来某些超经济的关系。比方，在奴隶制度底下，奴隶主人对奴隶的剥削，就是超经济的——不但要剥削他们的剩余劳动，而且还要剥夺他们的身体自由和生命保障。帝国主义对于殖民地人民的剥削，往往也是超经济的。特别在以武力征服弱小民族的时候，恐怖的刀光要掩盖了一切“人权”、“人道”……的招贴。所以，这时候弱小民族的反抗战争，是死和活的斗争，是不反抗就做奴隶的斗争，而不是通常的经济利益的斗争。

我们说“超经济”，也并不是“莫谈经济”的意思，而是说：在超经济的死和做亡国奴的威胁之下，个人的经济利益变成次要的问题。这也并不是说工农可以任听资本家地主剥削他们的经济利益而不准说个“不”字，而是说：资本家地主应该放弃多一些的经济利益，工农应该放弃少一些的经济利益，大家相亲相爱的共同从事生产，而不要有任何直接斗争的口号和行动。

放弃个人经济利益的限度如何呢？这要看工农所受的是不是超经济的剥削了。我们对外要反抗超经济的侵略，对内自然也要清除超经济的剥削。所以，工农饥饿是必须救济的，而对于足以妨害工农身体自由和生命保障的非人待遇，是必须制止的。但，这也要通过政府的立法手段的执行，而不能采取任何的直接行动。在立法手段还未完成以前，我们不妨动员社会的同情力量去进行救济，动员舆论的道德制裁去消除一切非人的待遇，用种种说服的手段使他们自动的纠正，然而不能有足以引起冲突的行动。我们不必否定了内部的斗争，但内部的斗争，必须是和平的，合法的；是对自己人批评纠正的态度，而不是敌对的态度。

我们不但要谈经济，而且要多谈经济力量的统一与集中。只要资本家，地主和工农的努力，都能在抗日的国策之下统一起来，只要资本家，地主和工农的经济力量，都能集中给国家，让国家公平分配，我们的抗战力量就可以加强，而我们的社会问题，也就可以解决了。自然，这种工作是很艰苦的，而且不是一纸法令所能收效的。我们需要一纸法令，但是尤其要有广大的群众力量帮加政府彻底执行这一纸法令。在中国，因为政治机构的脆弱和社会组织的散漫，单纯的自上而下的统一和集中是不可能彻底的，一种自下而上的民众力量是少不了的。

在这一点上，我以为人民不必过分疑虑政府，而政府也可以不必过分疑虑人民。在抗战当中，政府已经深深的感觉到：非改善民生无以彻底肃清汉奸，更无以充分动员民众。民众在抗日情绪高涨的情况之下，谁也都愿意把力量集中给国家，“有钱出钱，有力出力”已经成为大众的呼声。倘使民众能够起来的话，只会替政府摄除统一集中的障碍，而决不会阻碍统一集中的功业。老实说，目下不愿意民众起来的人，到正是自私自利的阻碍统一集中的人。政府和民众都已经在超经济的死和做亡国奴的威胁之下，培养起来超阶级，超党派——超经济的意识。而只有少数自私自利的人，还在重视自己的经济利益。在抗战的过程中，我相信政府和人民是终久可以打成一片的；所可惜的到是在少数人一时的阻碍当中，要使国力受到不必要的消耗。

在超经济的意义之下，资本家地主应该为国家增加生产，同时为国家培养民力。他们一面要提高资本和土地的效率，一面还要爱惜工农的健康和体力。工农为了国家，要爱惜地力，爱惜生产工具，爱惜物料，而同时还要增加自己的生产效能。这样，生产自然可以增加；而且，只要一切的经济力量能够集中于国家，大家一定都很情愿的。

在超经济的意义之下我们要时时记住“抗日第一”和“抗日中心”两句话。为了抗日的必要，我们可以主张改良那一部分人民的待遇，然而不能为那一个阶级的利益提出那一个阶级的要求。我们还要尽量避免有些足以引起不良影响的口号。比方，我们应该在后方提出“优待抗敌将士家属”的口号，先动员当地的民众去实行，然而不能在前方提出“提高士兵待遇”的口号，免使将帅为难。再呢，缓急和先后，是必须慎重考虑的。比方，在工人当中，自然要尽先主张救济失业工人，而在兵士当中，自然要尽先主张救护受伤兵士。要之，我们要把这个抗战当做我们自己的事情，我们一切要极端的慎重，而不要有丝毫不负责任的隔岸观火的态度。

我要重复的指出：民族统一战线的基础，是超党派超阶级——超经济的；在目下，最能克服党派意识的人，就是最能保护党派利益的人，最能克服阶级意识的人，也就是最能保护阶级利益的人。我再补充一句：民族统一战线的基础，是建筑在不做亡国奴的决心上面。

章先生这一“超经济的”民族统一战线的基础是什么呢？是“建筑在不做亡国奴的决心上”！这是一句极勇敢的极坚决的动听的话。但这动听的话的实际的意义如何呢？所谓“亡国奴”的衔头，对于一向为官僚政治所剥削压迫得体无完肤的老百姓，究竟有多少打击？他们在未亡国以前，是否过的是奴隶生活？同样是奴隶，亡国不亡国对他们终究有多大关系？这都不得不首先考虑到的。要不然，为什么那些流氓无产者去当汉奸的如此之多？民族统一战线是否真的要靠完全超经济的基础来完成？这是一。其次，所谓“同舟共济”主要是在顾全大局，使船出险，如其为了自己的行李不顾大众生命，那自然是大众公敌。但在此民族统一战线中，要顾到自己行李的是谁？工农大众除生命以外，该没有行李了吧？资本家对于工农的超经济的剥削是什么？是否是对于工农的肉体的“武力侵略”。但工农大众除对于这种超经济的剥削可以反抗，饥饿救济可以请求外，是否竟可以请求些作为一个国民的民主权利呢？要不然他们虽没有做亡国奴，却早已做了略微可以免除挨打的奴隶了。何况，事实非常明白摆在我们眼前，上海抗战不到三个月，动摇抗战的决心的，正是带行李的一些金融资本家。中国的金融资本家，本来是买办阶级，抗战是将他的“从中取利”的门关上了。他是为了行李，要将其余没行李的推下海去了。中国的一部分资本家，还是不能站在超经济的地位上来支持民族统一战线。再次讲到人民对于政府在这一阶段中，可说信赖备至了。他们决没有超出法令以外来行动，但一般地方当局，始终还有所顾忌，没有将民众组织到抗日阵线里面；不但无暇组织，甚至于无意组织。深恐民众运动，是一发难收。是否是还要坐待立法手段的完成？要是说，不如此，资本家地主将不愿加入抗日统一战线。但统一战线还是客气的拉拢呢？或是斗争（是一般意义上的斗争，不是指采用罢工手段的斗争）过程中的结合？这些问题，都是我们在实践工作中，感到章先生的理论，无法给我们答复的。在此，我们就得加以思索，因为我们决不是一个反对民族统一战线的人，而且，我们也不愿（是）站在民族统一战线的外面来说话的人。的确，今日要击败日本帝国主义非结成并且加强民族统一战线不可。那么我们再来读一读另一方面的救亡理论吧，例如毛泽东的《中国共产党在抗日时期的任务》，和抗日救国的十大纲领。《中国共产党在抗日时期的任务》中，有一节说：

为了建立民族统一战线共同对敌，国内的矛盾，必须给与适当的解决（不是含糊的避免——作者注），其原则是有助于抗日民族统一战线的增强扩大，而不是削弱和缩小。民主革命的阶段内，国内阶级间，党派间，集团间的矛盾与斗争是无法避免的，但可以而且应该停止其不利于团结抗敌的部分（国内战争，党派对立，地方割据，一方面封建的政治压迫与经济压迫，一方面暴动政策，与不利于抗日救亡的经济条件等等），而保存其有利于团结抗敌的部分（批评的自由，党派的独立性，人民政治条件与经济条件之改善等等）。……

又说：

中国革命领导责任的问题，乃是革命的成败关键。一九二五年——二七年的经验，证明了当资产阶级追随着无产阶级的政治领导时，革命是如何的推向前了；及至无产阶级（由无产阶级政党负责）政治上也变成了资产阶级的尾巴时，革命又如何遭到了失败。这种历史，是不宜于重复了。今天说来，抗日民族统一战线及其任务的完成，离开了无产阶级及其政党的政治领导，就不能有任何成就，抗日民族统一战线就不能建立，和平民主抗战的目的就不能实现，祖国就不能保卫，统一的民主共和国就不能成功。

又说：

反日运动只有在解放农人实现总理拥护工人利益的政策之下，才能有力的发展。

在十大纲领里也明白规定：

七、改良人民的生活

改良工人农民职员教员及抗日军人的待遇，优待抗日军人的家属，废除苛捐杂税，减租减息，救济失业，调节食粮，赈济灾荒。

这可见民族统一战线的结成不是不需要斗争，而是以斗争争取团结的有利一面。同时，民族统一战线要坚强有力，又必须强调某一主导的力量。决不是叫两方讲情面礼让，当面客客气气，背后怨天骂地所能为力的。必需叫某一些少数人的利益，服从于大多数的利益。最后，要真正动员工农大众前赴杀敌，更须有必要经济条件与之配合。恰恰相反，不是超经济的。换句话，要全国工农大众有那“不做亡国奴的决心”，首先得有使他们获得成为一个真正的人的生活的经济条件。我们倘若以行动来印证这一理论，我们就处处可看出它的正确。很鲜明的，章乃器先生在《平凡领导和平凡组织》一文发表后，一般做救亡工作的青年，都感到有点失望（这一事实，章乃器先生自己也许还不曾知道，但我们为爱护章乃器先生，愿意在这里提出来一说），这也可见一般读书的青年，处处能从生活中来估量书中的道理，而不被美丽的言语所迷惑了。

这是非常重要的一个节目：我们要——

时时以生活印证书籍！

时时以书籍扩大生活！

第六章　治学的方法

说到治学的方法，和读书的方法，并不是完全相同的。粗浅的说来，治学是读书的更进一步。治学是属于专门性质的；读书是属于一般性质的。但更仔细的来说，则——

> 治学是“致用”，读书是“受用”。

因之，它们的方法，也有部分的不同。

关于治学的方法，胡适之先生也曾经有过一篇文字，叫做《治学的方法和材料》。他的大意是主张方法与材料并重。他说：

> 现在有许多人说：治学问全靠有方法！方

法最重要，材料却不很重要。有了精密的方法，什么材料都可以有成绩。粪同溺可以作科学的分析，《西游记》同《封神演义》可以作科学的研究。这话固然不错，同样的材料，无方法便没有成绩，有好方法便有好成绩……同样的材料，方法不同，成绩也就不同，但同样的方法，用在不同的材料上，成绩也有绝大的不同……

但是治学的方法是怎样的呢？胡先生说：

说来其实很简单，只不过“尊重事实，尊重证据”。在应用上，科学的方法，只不过“大胆的假设，小心的求证”。（《胡适文存》三集卷二）

关于这一点，胡适之先生在《清代学者的治学方法》里说的很详尽，我们不必再引证了。

其实，治学的方法和读书的方法，有个基本的相同点：不要脱离了生活的实践。读书不是为读书而读书，治学问也不是为学问而学问，要不然，全都要钻到牛角里去：读死书，死读书，读书死！治死学，死治学，治学死！胡适之先生在上面说的一篇文章里，把中国近世学术和西洋的画了个比较表之后，慨叹道：

> 在中国方面，除了宋应星的《天工开物》一部奇书外，都只是一些纸上的学问：从八股到古音的考证固然是一大进步，然而终究还是纸上的工夫。西洋学术在这几十年中便已走上了自然科学的大路了……他们的方法是相同的，不过他们的材料完全不同。顾氏（顾炎武，著有《日知录》，是一种读书的札记，和《音学五书》等）、阎氏（阎若璩，著有《尚书古文疏》）的材料全是文字的，葛利略一班人的材料，全是实物的。文字的材料有限，钻来钻去，总不出故纸堆的范围，故三百年的中国学术的最大成绩，不过是两大部《皇清经解》而已。实物材料无穷，故用望远镜观天象，……

用显微镜看微菌，……宇宙之大，一百年中已增加了几十万万倍了……

胡适之先生的意思以为三百年中国学术不如西方的，全在于材料。但我以为全在于学者的治学精神，脱离了生活实践。而造成这原因的，是封建制度下士大夫阶级有它不劳而食的特殊地位，不仅仅是材料的关系。

其实，材料和方法，应该看做是一种东西。方法固然可以整理材料，材料却能产生方法。正和读书治学之于生活实践一样，读书治学可以影响生活实践，生活实践也可以印证并融贯书籍学问。这理由怎么说呢？我们只是用辩证法的产生的例子来说明就够。辩证法教人从整个的来看社会现象，从相互的复杂关系中来看社会现象，从动态中来看社会现象，从质量的变化中来看社会现象……而每一社会现象正是整体中的一种现象，它有质量的变化，它流动不息，它和其他现象有相互复杂关系。每一社会现象，有它自然的演变的法则。天才的学者，将这抽象出来，给它法则化了，就成为辩证法。所以我们有时可以这么说，老于“世故”——所谓生活实践的人，辩证法是不须学的。俗话说，熟能生“巧”。这“巧”字，就是“方法”的别名。“方法”全在于对材料的“熟”——对材料的透彻了解。

胡适之先生在中国学术上的成就，是半部的《中国哲学史大纲》，和半部的《白话文学史》。但在《中国哲学史大纲》里，他只做到“素朴”两字：孔子还他一个孔子的面目，荀子还他一个荀子的面目，老庄还他一个老庄的面目。如斯而已。这也许就是胡先生所景仰的朴学的精神。这也许就是胡先生所标榜的实验主义的科学治学方法。但这方法的主要的缺点，就在于：个别的来分析研究，静态的来分析研究，孤立的（不是从相互的关系上）来分析研究，公式的一直线的（不注意质量的变化）来分析研究，在现在看来，胡适之先生的《中国哲学史大纲》的价值，并不怎么高超。

那么，治学的方法，如何才能得比较正确的结论呢？我以为应辩证法地来研究才行。比如要研究中国古代哲学，首先得对中国的古代社会，有个整个的正确认识。在这认识下，再来个别的研究。如对于孔子哲学，老子哲学，先有个别的彻底的了解，然后又从个别的追求到相互间的关系，如老子哲学和孔子哲学的关系和相互间的影响，与其各各产生的社会原因。于是再从相互间的关系的研究，回复到整个的综合的研究。指出孔子的官僚哲学，是在维护封建制度；老子的自然哲学，是反封建的，是追慕原始共产制度的。因而又证明了中国古代社会的整个演变：自原始共产制度到奴隶制度，以至封建制度。这样的研究法，才能把握到真实的东西。

胡适之先生那种“科学的治学方法”，其成就也还止于材料的考证和说明。有时，做得不好，只看到一批硬生生的材料的堆积。藏在材料里本质的真实的东西，始终不能发现出来。这一方法的另一面发展，便是先自立下一个主题，到各种书籍去找材料，来详详细细的加以证明。如胡适之先生《白话文学史》便是。

胡适之先生的《白话文学史》，便是因为自己是个白话文学的创始者，要把白话文学地位抬高，因而设定“白话文学是中国文学的最优秀的文学”这一原则，他从这一原则下来找材料，予以证明。这便是“大胆的假定，小心的求证”的办法。但我们可以不客气的说，胡适之先生的《白话文学史》，忽略了中国文学全个性的发展与其相互间的因果关联。这方法也不很健全。但近来一般人用这一方法来治学的很多。青年们做初步的学问工夫，这种方法说来却是非常有用。因为，以一个问题为中心，或以一个假定为中心，去研究，我们就不得不翻许多的书籍，找许多的材料——读到众多的书。但从这一方法求得的结论，不一定是正确的结论，多半是预先定下的主题的说明而已。自然，材料要是能整个的看到，不是承章摘句的翻翻；证据要是能细心的采用，不是急就的应用；那也可得到和假定相反的结论的。这结论也许是比较近于真理的。

这二十年来在中国学术上比较有成就的，除胡适之先生的《中国哲学史大纲》外便是鲁迅先生的《中国小说史略》，和郭沫若先生的《中国古代社会研究》。这三册名著，恰恰是用三种的治学方法做成的。胡适之先生在中国古代哲学上所用的方法，上面已经约略说过，我们可叫他是“见树不见林”的方法。郭沫若先生在《中国古代社会研究》里所用的方法，刚刚和胡适之先生的相反。他是利用了权威的社会学学者对于社会发展的一般概念，图式化地（是他自己对于自己的批评）应用到中国古代社会的分析。在他那书的导论——“中国社会之历史的发展阶段”里，就说明自己的著作，是以摩尔根的《古代社会》和恩格斯的《家族私有财产及国家之起源》，为他研究中国古代社会的指南针的。他甚至于说，“本书的性质可以说就是恩格斯的《家族私有财产及国家之起源》的续编”。他利用这两位学者对于社会发展的一般概念，把中国社会鸟瞰做：西周以前，为原始共产制；西周时代为奴隶制；春秋以后为封建制；最近百年来为资本制。由于这公式的机械的应用，几年前便发生了一次中国社会制度的论战。关于这里面谁是谁非，我们不敢断说；但这种治学方法，有时会陷于大胆的武断，“见林而不见树”。材料只为了方法而存在，正和每一株树仿佛只为林而存在似的。我们知道，每一株树，固然受整个的林子的地位的高低，干湿，阳光的充足与否而有限制；但每株树还有它独立的发展。在《中国古代社会研究》里，郭沫若先生引用的《周易尚书》里的例子的时候，是否仅找有利于自己的证明的例子，而故意忽略了不利于自己的证明的例子，我们不敢断说，但过分注重方法论的应用，危险也是很大的。才分高的人，像郭沫若先生那样，也许能借方法论，得到正确的结论，但一般的人，就容易弄到只有“空架子，没有实的东西”。所谓今日中国思想界的公式主义现象，就是过分注重方法论的结果。换句话说，是将一种方法，到处应用，不能在熟透了的材料中产生方法，转来整理材料，求得结论。过分注重方法论，正和过分大胆的假设一样，也会得到错误的结论。至于胡适之先生和郭沫若先生治学精神和方法根本不同之点，除上述诸点以外，我们不妨把《中国哲学史大纲》和《中国古代社会研究》比较地来读一下，就可得到具体的印象。或者读一读郭沫若先生在《中华公论》创刊号上所发表的《借问胡适》一篇文字也可知道。郭沫若先生曾经有过很精辟的一段话，说明他和胡适之先生治学精神根本的不同点：

> 胡适的《中国哲学史大纲》，在中国的新学界上也支配了几年，但那对于中国古代的实际情形，几曾摩着了一些儿边际？社会的来源既未认清，思想的发生自无从说起。所以我们

对他所“整理”的一些过程，全部都有重新“批判”的必要。

我们的“批判”，有异于他们的“整理”。

“整理”的究极目标是在“实事求是”，我们的“批判”精神是要在“实事中求其所以是”。

“整理”的方法所能做到的，是“知其然”，我们的“批判”精神，是要“知其所以然”。

“整理”自是“批判”过程中所必经的一步，然而它不能成为我们所应局限的一步。

这一节话，把两人治学方法的不同，很清楚的说明了。但有时急于“批判”而忽视了“整理”，却也是过分强调批判精神者之过错。

至于鲁迅先生的《中国小说史略》，那成就我以为比胡适之先生和郭沫若先生都要来的伟大。在鲁迅逝世周年纪念日，郑振铎先生演讲过鲁迅先生的治学精神。其中有云：

我们可以举一两个例。他的《中国小说史

略》为近十余年来治小说史者的南针。虽然只是三百四十多页，篇幅并不称多，但实是千锤百炼之作。自第三篇《汉书·艺文志所载小说》，到第七篇《<世说新语>与其前后》，都是从一部细针密缝的三十六卷《古小说钩沉》的搜辑的结果里勾稽出来的。第八篇《唐之传奇文》到第十一篇《宋之志怪及传奇文》，乃是研究了五百卷的《太平广记》和《青琐高议》，顾氏《文房小说》等等古籍而后写下的，其态度最为谨慎小心，一举而廓清了明清以来唐人百家小说，唐代丛书以及《龙威秘书》等的谬误与浅陋。近来对于唐宋传奇文的认识比较清楚，全是鲁迅先生之力。……其判断之最精锐而不可移动者，如以吴承恩《西游记》为有所本，后来发见了《永乐大典》里的《西游记》一则，果然证明了他的理论。如对于冯梦龙所辑的《三言》的论断，今日发见的材料，虽比他所见到的多，却一点也没有摇动了他的定论。……

这可见《中国小说史略》的价值。而鲁迅先生的治学精神，也可在这著作上看出。郑振铎先生最后的结论，指出道：

他在任何方面都是能见其大，能见其全的。

他是最精密的考据校订家。他的校订的工夫是不下于顾千里，黄尧圃他们的；而较他们更进步的是，他不以考据、校订为止境。

他是在根本上做工夫的。他打定了基础，搜齐了材料，然后经过了尖锐的考察，精密的分析，而以公平的态度下判断。

不麻胡，不苟且，从根本上做工夫，这便是他治学的精神。

学问家的成功从没有侥幸的事；而鲁迅先生的成功，便是他刻苦努力的结果。

要是把上面的话原则地来说，鲁迅先生治学的方法，决定于他治学精神不苟且。不苟且便能重视材料而不为材料所束缚，便能从小以见大，从一以见全。——

也就是古人所谓“小处着手，大处着目”。也就是列宁所谓：“见林又当见树，见树又当见林。”

鲁迅先生这一种治学精神和方法，可说贯彻在他任何一本著作里。我们若要便于了解鲁迅先生这种精神和方法，只要看他那篇《魏晋风度及文章与药及酒之关系》便会十分明白。

这篇文字，据说是鲁迅先生所要做的文学史的一节。鲁迅先生没有完成这一册文学史而逝世，真是中国学术界的大损失。这篇文字，真的是用深入浅出的笔调来论列魏晋文人的文章事业的。他不仅说明了魏晋文人的文学的成就，而且非常生动地画出他们的生活，生活之影响于文学，以及社会的风气，政治与文人的纠葛。短短的一篇文字，内容可包容得丰富极了。每一个文人有生的面目，声音笑貌，甚至于心的跳动，都仿佛可以听到似的。而又把各人的异同，相互骈列起来，予以比较分别，又整个的写出所谓“魏晋的风度”。我们只要看他叙述陶潜一段，就可懂得鲁迅先生治学方法的精深：

到东晋，风气变了。社会思想平静得多，各处都夹入了佛教的思想。再至晋末，乱也看惯了，篡也看惯了，文章便更和平。代表和平的文章的人有陶潜。他的态度是随便饮酒，乞食，高兴的时候就谈论和作文章，无尤无怨。所以现在有人称他为“田园诗人”，是个非常和平的田园诗人。他的态度是不容易学的，他非常之穷，而心里很平静。家常无米，就去向人家门口求乞。他穷到有客来见，连鞋也没有，那客人给他从家丁取鞋给他，他便伸了足穿上了。虽然如此，他却毫不为意，还是“采菊东篱下，悠然见南山”。……

陶潜之在晋末，是和孔融于汉末与嵇康于魏末略同，又是将近易代的时候。但他没有什么慷慨激昂的表示，于是便博得“田园诗人”的名称。但《陶集》里有《述酒》一篇，是说当时政治的。这样看来，可见他于世事也并没有遗忘和冷淡，不过他的态度比嵇康阮籍自然得多，不至于招人注意罢了。还有一个原因，先已说过，是习惯。因为当时饮酒的风气相沿下来，人见了也不觉得奇怪，而且汉魏晋相沿，时代不远，变迁极多，既经见惯，就没有大感触，陶潜之比孔融嵇康和平，是当然的。例如看北朝的墓志，官位升进，往往详细写着，再仔细一看，他是已经经过两三朝代了，但当时似乎并不为奇。

据我的意思，即使从前的人，那诗文完全超于政治的，所谓“田园诗人”，“山林诗人”，是没有的。完全诗出于人间世的，也是没有的。既然超出于世，则当然连诗文也没有。诗文也是人事，既有诗，就可以知道于世事未能忘情。譬如墨子兼爱，杨子为我。墨子当然要著书；杨子就一定不著。这才是“为我”。因为若做出书来给别人看，便变成“为人”了。

由此可知陶潜总不能超于尘世，而且，于朝政还是留心，也不能忘掉“死”，这是他诗文中时时提起的。用别一种看法研究起来恐怕也会成一个和旧说不同的人物吧。

在这里，鲁迅先生是如见其肺腑似的看出陶潜来。这样的一个陶潜，才是个活的陶潜。总之，治学的方法——

第一，须先“见林”——博览以见其全。或借先人的成绩，看各学术部门的通史，了个大概。于是——

第二，分别以见树——精研以知其小。对于每一单位的书籍，必须详尽透切加以研究，亦即所谓整理工夫，然后——

第三，见树同时见林。——将精研之所得与博览的概念，作个比较，使之沟通，融会，相互的校正，相互的印证，而后做到——

第四，林与树合为一体。——采得了正确的真实的结论。

而这四步功夫，并不是截然厘分的。有时，也许整个不能分解。即在分别以见树的一步，树又有整体与个别的分别，每一单位的书籍，也有它整个的体系与个别的节目，我们对一部书籍研究时，同样须用此四步工夫，不可忽略。归结一句，治学总在于不苟且，不麻胡，从根本上做工夫。如此而已。

第七章　战时的读书问题

在这最后章里，我们来谈谈战时的读书问题。自从“八·一三”的炮火，宣告了中国的长期抗战以来，全国青年差不多都参加救亡的工作，平日那种安静地住在屋子里的读书生活，马上代替了奔走、呼号、演剧、宣传、捐募等等工作。这种狂热的心情，是值得我们敬佩的。但因此在青年们心里，就产生两种不同的概念。一种便是——

何必读书，亦有工作而已矣！

他们以为，读书是最迂腐不过的事，是有闲者的一种清论；现在只有在整个的国策下，埋下头去苦干就是。敌人叫嚣由倒□的□□□□[1]，我们既不能用书本却敌——挡回敌人的炮火，又不能咿唔咕哔的念念有词，作起法来，打下敌人的飞机，我们又何必读书呢。在今之日，只有各各本着“有钱者出钱，有力者出力”的原则，集中目标：抗战到底，把敌人打退！然后，再来读书不迟。

另一种恰恰相反，他们并不是不赞成这一神圣的民族解放战争，但总惋惜——

“战争夺去了读书的机会。”因之，为自己的打算就多一点，为民族解放的打算就少一点。时时从工作中偷出工夫来读书。或者悄悄地溜到安全地带来，借名说是做文化工作，实则躲起来迂腐地读他的书去。

其实，这两种想法，都是不很正确的。救亡工作，诚然是重要的，但除直接参加作战的青年以外，读书却应该看作救亡工作的一种。“有钱者出钱，有力者出力”，这一个口号，在抗战中是对极了，但我以为还须加一句：“有主意者出主意。”因为，今日的抗日战争，是必须全面的。所谓全面的抗战，即是从政治与经济方面，外交

[1] 原稿模糊不清。——编者注

与教育方面，以及一切方面都要动员起来，为着抵抗侵略者的民族解放战争。同时，这抗战的统一指挥者（不仅限于军事，政治经济方面的指挥也包括在内），固然应该属于最高的政府负责人与军事长官，但对于政策的决定，却必须综合民众的意思。换句话说，对日作战，不但是解放战争，而且是革命战争，不但是完成一部分反帝的任务，而（且）是完成反封建的任务的。抗日战争的胜利，是建筑在民主政治的实现过程中。为要实现民主政治，争取抗战胜利，每一个国民就不应该放弃自己一丝一毫意见。应该时时把意见贡献给政府，作多数的决定。在此，对于抗战的理论的认识，我们还是不可忽略的。例如，十一月十三号，汪精卫先生发表一篇《寻求与国与团结民众》一文，对于外交政策，有如下的指示：

> 近来颇有一部分人士，持著一种见解，以为中国必须抛弃了对于资本主义国家的信赖，方才可以得到苏联真实的援助。这种见解，在上海几种刊物上，都曾看过。兄弟以为这种见

解，是看不清楚现在国际和平之路线。看不清楚现在中国须循着国际和平之路线以前进。不用说别的，只怕苏联听了也吓一跳，也会把眉头耸起，也会把舌头伸了出来。不用看别的，只要看看苏联的外交，苏联为什么要参加国联呢？苏联为什么要和法国订立互助协定呢？苏联为什么要对于英美汲汲的增进友谊呢？世界上没有一个国家不注意于自己的生存，没有不防到自己陷于孤立的。尤其没有一个国家，世界上没有一个国家不注意于自己的生存的。既注意于自己的生存，没有不防到自己陷于孤立的。尤其没有一个国家为自己生存的原故，不得已而与人作打时，不去寻求帮手的。苏联自从新经济政策，两次五年计划实行以来，已渐渐成为世界上一个强国了。而其国家在地理上又处于最不怕入侵的境遇。然而注意国交寻求与国汲汲如此，那么听了我们这般的高调，把眉头耸起，把舌头伸了出来，决不是虚构的想像。此外还有一部分人士，持着一种见解，以为中国至少须把法西斯蒂的国家撇开。这也是不对的。如今世界上的国家，已不是从前的时候，会因基督教与非基督教而兴起十字军，因新教与旧教而发生混战。所谓因主义相同而结合，其成分远不如因利益相同来得密切。中国与此等国家之关系，以主义论，各有其政治之自由。如人选择其最适合于自己国情之制度而加以损益，期于适用，用不着彼此相强。以利害论，彼此利害并无冲突，友谊与商务关系，经济关系，日益增进。有什么理由将他撇开？这不是孟子所说为渊驱鱼、为丛驱雀么？尤其是德国，他因战败之后，备尝痛苦，想解除不平等的束缚，恢复平等的地位，其努力更足使我们起敬。至于其他各国，纵使和中国无甚密切关系，但于正义人道上作公正的主张，即是于世界有益，亦于中国有益。例如当国联投票取决中日问题的时候，前此放弃投票的只有一个暹罗，此次暹罗之外，只有一个波兰。这可见各国对于正义人道热心维持，对于日本之暴行，深恶痛绝，对于中国之坚决抵抗，有深厚之同情。这些都是我们所不容忽视的。总之，中国的外交方针，既然认定要循国际和平之路线以前进，则凡反对侵略者，都可以为中国之与国。中国惟有尽其在我，以博得各国之同情，进而得各国之援助。进而与各国对于侵略者加以制裁，这是中国平日应取的态度，尤其是在抗战期间应取的态度。

在这里，汪先生指示中国外交除应遵循和平的路线外，尤应与法西斯德意相携手，为的是利害关系。这一外交政策的指示对于中国抗战的前途，大有影响。我们每一个做救亡工作的青年，就得深切的研究，所谓“应遵循的和平路线”是什么？所谓“宗教信仰”与“主义的信仰”是不是相同的？法西斯国家订立的“反共协定”，是不是为主义而战争的初步表示？法西斯主义的本质是什么？是不是法西斯即是战争？是不是主张侵略的？这时，我们就得从种种书上，尤其是《三民主义》上，来找求理论的根据，跟汪先生所指示的做个比较，我们就可以决定赞成或否定汪先生的指示了。同时，也表示了自己的意见。只有这样，外交政策才有个正确的决定，也只有这样，才可说是有意识的，真正的在做救亡工作。

自然，对于汪先生这个指示，稍有理论根底的人，马上就可给它指出错误的：法西斯蒂即是战争，这一句名言，是法西斯国家以行动来证实它的正确了，更是不用多辩。但在这里，我们要证明的，是在工作中还得读书，那才不只一味的盲从，那才真正做得起工作来。实践产生理论；理论指导实践。理论与实践必须打成一片，我们决不能划出时期来：这一时期读书，那一时期工作。工作中不必读书，读书时不能工作。我们要随时读书，随时工作。而尤其在做救亡工作时，更当多读书。因为工作要求于理论指导的机会也更多了。

其次，以为战争妨害了读书，也是错误的。正像前一种人以为读书妨碍工作的错误一样。我们几次在上面指出过，生活实践也是读书。在战时我们的工作加紧加烦，这就等于我们在读一册更深奥更难懂的伟大的书籍。朋友中有以自己的学问不长进感到苦闷的。问他原因，是“某某英文程度比我蹩脚，现在做了斯密特莱的翻译了。读了某某一篇文章，觉得自己也可以做的，但竟做不出来。所以非常苦闷”。这见解，就是不以工作也是一种学问。某某在英文上文章上比我长进了，但我在工作的认识上却比人深刻；这深刻的认识，就可以帮助我将来某一种学问的发展。有形的长进，有时，倒是银样蜡枪头，经不起一戳！无形的长进，却是最坚实，最有用的。

但我这么说，并不是说，有工作，即不必读书，恰恰相反，最能认识工作的真实意义的，便是最能读书的人；最能读书的人，也便是最能认识工作的真实意义的。

此外，还有一种普遍的见解：以为在抗战时期，我们只要读些与抗战直接有关系的书籍够了；更不必读比较深厚的但与抗战没有直接关系的书。一个月前，我曾在某一刊物上发表一篇《大炮主义者》的小说，一个做救亡工作的朋友，笑笑对我说：“啊！你在现在还有那么好兴趣，来写小说。”这时我只好“笑而不答心自闲”了。这现象，非常普遍。抗战至今三月，坊间没有出版这一册文学书籍。刊物里也有所谓文艺刊物的，但分量的薄和质地的不结实，确是历来所未见的。何况那些文字，又大都有类于“抗日宣言”。这事实，即说明：文学在抗战中是不足轻重的。否则也必须是报告文学。同时，又说明比较深厚的书籍或作品，现在无阅读的必要了。这见解的错误，正和一般政客官僚，把对日作战，是单纯的军事抗战，是单纯的反抗侵略的见解一样。我们要知道，今日的抗战，是有世界意义的，是为人类求和平，是为建设一个现代的国家，是须动员全国人民大众一起参加。所以在理论的钻研，事象的认识上非做到极其深刻的极其认真的地步不可。例如，生活书店，在这抗战期间，出了一册《反杜林论》。这一册恩格斯的名著，于中国的抗战是无所指示的。然而读了这样一册书，对于我们参加抗战工作，我们可以断然的说，是绝对有益的。开始：有人以为抗战期间，个人绝对无自由，意思就是说，应当绝对服从，绝对听任上级的指挥。所以，连民主的口号，也不许提出来了。这时候，我们如其读到《反杜林论》里这样的话：

黑格尔第一个正确地规定自由与必然的相

互关系。在他看来，自由是必然的理解。“必然只在未被人理解时，是盲目的。”自由不是在于想象中的对于自然法的独立，而是在于认识这些法则，而能有计划地利用它们来达到一定的目的。……

这么说来，抗战中的我们的政治上的自由，就在于认识今日中国的政治应如何与抗战相配合起来才能争取最后胜利的自然法则，而能有计划地利用它们，以达到目的。那么这书就告诉我们即使在抗战中，我们还得保持自由批评的精神。更扩大的来说，还得有集会结社言论的自由。也只有政府能给予人民以这样最大限量的自由。抗战的意义才能深化，抗战才能胜利。一切最高理论的书籍，最高艺术的书籍，即使与目前参加抗战工作无直接关系，我们还得读它。何况，抗战在学术上的意义，正是要使我们的学术，能在某一种条件下，开展起来，发旺起来，深厚起来。苏联经过了“十月革命”的内战，遗留给今日的文学学术界里的成绩，真叫人不可想像呢。永远的读些浅薄的常识的书籍，同样使我们的抗战不会有最高成就的。

不过由于工作的时间的限制，与战时的社会情势的变化，经济能力的削弱，事实上，不能读深厚的书籍，或没有多多读书的机会，那也是没有办法的。因之，战时的读书的方法，也应有和平时不同之点。现在，就来谈谈战时的读书方法。战时的读书方法最好采用——

集团的读书法。

讲到集团的读书法，好早就有人试行过。据说，从前罗马有过一个有钱的商人，叫做伊台里厄斯。说起他的财富，多得几乎难以叫人相信。……但他所缺少的就是教育，不大懂得读书。所以那些乐意接受他的邀请的客人，暗中都在笑他。因此，他在席上几乎没法和客人谈高雅的话。有时勉强一谈，他就看出来：客人都在忍着笑听着他。这事使他难受。但生性太懒，又不能埋头在书本上用工夫。他终于想出一个办法来。他命令管家，从大批奴隶中，挑出两百个聪明的，指定去读书。这样，伊台里厄斯要念那一本书，那一节，就叫哪一个奴隶出来照样背诵。

这故事，就是说明有钱的商人利用奴隶的集团的读书法来增加自己的智识。我们的集团读书法，却是叫各自做各自的奴隶，各自读各自的书，然后集合在一处，各自报告各自所获的心得，相互交换。那无疑于同一的时间内，读了大家所读过的书。三十个人各自读一册书，这时就等于每人读了三十册的书了。这办法，主要就是节省时间。

这种读书法，是以座谈会形式来实现的。座谈会有以讨论问题为中心的，有以共读一书而相互交换意见为中心的。但也可照上述的办法举行。在战时的读书方法，最好多多利用座谈会。而且座谈会一方面既有中心的问题讨论，于讨论中，又可交换各人的工作的意见，将工作与问题，或书中的理论，合并成一起，来研究；这样的读书法，才是活读书，读活书，读书活了。

举行座谈时，也有种种不同的方法。有一种，先拟定讨论大纲，将某一问题应该研究的范围规定，发给座谈会会员，由各会员，依照讨论大纲，寻参考书籍，或熟读与该问题有关的书籍，各自求得个意见——也就是所谓结论，于指定日子内，相聚于一室，再依着大纲，各自来发表意见，然后由主席做个结论。结论做得不充分或错误时，还可讨论或补充。

另一种，发了大纲以后，先推定了一个人，去专心研究一下；在座谈会里，由这人作一个报告演说，各人于他所说及的几点，加以讨论或补充。再由主席作个结论。

座谈会这一种读书法，不但可以节省时间，并刺激各会员去读书，而且能阻止偏见的长成，使大家于每一项问题有更深切的了解与认识。在战时，以座谈会方式来推广读书运动，是非常急切需要，而且非常合理的方法。

座谈会以外，演讲会也是补充战时读书的不足的。演讲会，最好有计划的来做。不特演讲的人要慎重选择，就是演讲题目，也可以有系统的来预定。这里要注意的有几点：演讲的人，不一定要名人，演讲的题目，不一定全关于抗战的。名人大都甚忙，演讲多半敷衍塞责，于学术上未必有多大的贡献。只要找对于某种问题确切有研究者就可以。题目若仅偏于一部分——如在上海三个月的抗战期间，就没有一个团体要求讲文学上的问题的——那必然使自己对于演讲发生厌倦，同时，于为学之道，也是不健全的。在演讲会未举行前，最好，去听讲的人，对于所要讲的问题，也同样加以相当的研究，至少应该事先思索一番。然后听来才会津津有味，才会实在得益。

战时读书，除这一种集团读书法以外，还可——

以问题为中心展开读书范围。

例如，九国公约会议开幕以前，上海方面提出了对日绝交的口号。对日绝交这一问题，不但包括政治、经济、内政、外交方面的意义，还包括法律的意义。这时，我们就可以这问题为中心，从政治、经济方面，内政、外交方面，以至于法律方面，来展开我们的研究。以问题为中心来展开读书范围，那是抓住任何学术部门与生活实践最有关系的一点来从事研究的。这样的读书法，又灵活，又有兴趣，非常便于学习，非常会增进知识。但也有一种弊病，即不易深入。因为问题既是起于实践，所牵及的学术部门又很广泛，个人平时所学习的，未必普遍于各学术部门，因之，即有研究不精到的毛病。但也可以缩小范围，以问题为中心，作某一学术部分的一面的研究。如仅以经济的观点，来研究对日绝交问题等等。

本来，在平时，读书范围，也可以以问题为中心而展开。但在战时，各项学术的应用性，更形迫切，所以更可侧重这一点来进行，使读书与生活更打成密切一片。我们必须把今日的对日抗战，看作不仅是动员政治，经济，教育各方面的，而尤须动员我们学术思想界的力量。能坚决一个难民的抗战的决心，能改正一个宗教家的抗战的观念，能贡献政府一点一滴关于组织民众、确定外交或统制经济的意见，都是对于民族前途非常有帮助的，而这也正是我们每一个文化青年的责任。要负担起这个责任，口号只有二句：

多读书，多实践！

读书实践，打成一片！

三联经典文库第二辑简目

《游击战教程》　明凡 / 著

《游击战术纲要》　陶剑青 / 编著

《汪精卫卖国的理论与实践》　钱俊瑞 / 著

《抗战以来》　韬奋 / 著

《陕行纪实》　楚云 / 著

《随军散记》　沙汀 / 著

《被日寇囚系半载记》　王研石 / 著

《倭营历险记》　房沧浪 / 著

《活跃的新西北》　田影 / 编著

《保卫华北的游击战》　刘清扬　陈北鸥等 / 著

《徐州突围》　《徐州突围》编委会 / 编

《沦亡的平津》　长江　小方等 / 著

《淞沪火线上》　胡兰畦等 / 著

《瞻回东战场》　长江　罗平 / 著

《东线的撤退》　胡兰畦等 / 著

《抗战中的西北》　徐盈 / 著

《鲁闽风云》　徐盈等 / 著

《西线生活》　西北战地服务团集体创作

《中国解放区见闻》　［美］福尔曼著 / 朱进译

《全面抗战论》　潘汉年 / 著

《日本的间谍》　范士白自述 / 尊闻译

《日本大陆政策的真面目》　国难资料编辑社 / 编

《民众动员论》　李公朴 / 著

《中国外交史》　钱亦石 / 编著

《太平洋军事地理》　蒋震华 / 著

《世界经济地理讲话》　思慕 / 著

《列强军力论》　［德］马克斯 · 威纳尔著 / 宾符　仲持　梅益等译

《近代国际关系史》　张铁生 / 著

《太平洋现势手册》　沈志远　石啸冲 / 编著

《近代世界政治史》　钱亦石 / 著

《从战争到和平——一九四五年的世界政治》　乔木 / 著

《战后日本问题》　思慕 / 著

《最近一年间的国际动态（1946.7–1947.6）》　《东北日报》社 / 编

《论政党》　翟放 / 著

《法与宪法》　韩幽桐 / 编著

《中华民国宪法刍议》　罗家衡 / 著

《民主 · 宪法 · 人权——作之民》　费孝通 / 著

《宪法论初步》　潘念之 / 著

《对反民主的抗争》　韬奋 / 著

《农村改进的理论与实际》　江恒源 / 著

《上海产业与上海职工》（上下）　　朱邦兴　胡林阁　徐声 / 合编

《陶行知教育论文选辑》　　陶行知著 / 方与严编

《中国通货膨胀论》　　杨培新 / 著

《中国及其未完成的革命》　　H·普拉特著 / 蒋天佐译

《中国的建设问题与人的训练》　　卢作孚 / 著

《论中国特殊性及其他》　　艾思奇 / 著

《中国经济问题讲话》　　钱俊瑞　徐雪寒　王渔邨　姜君辰　骆耕漠 / 合著

《中国经济的道路》　　许涤新 / 著

《中国财政之病态及其批判》　　孙怀仁 / 著

《官僚资本论》　　许涤新 / 著

《五四运动之史的评价》　　陈端志 / 著

《中国通史简编》（上下）　　中国历史研究会　范文澜 / 主编

《论文学的工农兵方向——读〈在延安文艺座谈会上的讲话〉》　雪苇 / 著

《中国近代史（上编　第一分册）》　　武波 / 编著

《文学百题》　　傅东华 / 编

《中国史学之进化》　　周谷城 / 著

《论民族形式问题》　　胡风 / 著

《论批评》　　荃麟等 / 著

《中国史纲》（第一卷上下、第二卷上下）　　翦伯赞 / 著

《近代中国思想学说史》（1–4）　　侯外庐 / 著

《中国政治思想史》（上下）　吕振羽 / 著

《中国哲学史纲要》　向林冰 / 著

《中国政治史讲话》　钱亦石 / 著

《中国社会经济史纲》　王渔邨 / 著

《新财政学大纲》　千家驹 / 著

《太平天国革命运动论文集——金田起义百周年纪念》

　华北大学历史研究室 / 编

《理性与自由——文化思想批评论文集》　胡绳 / 著

《战斗者的诗人》　黄药眠 / 著

《国语文法》　曹朴 / 著

《教育哲学》　张栗原 / 著

《妇女问题讲话》　杜君慧 / 著

《婚姻 · 子女 · 继承》　沙千里 / 著

《性教育新论》　布士克　雅各生合著 / 董秋斯译

《狱中杂感》　杜重远 / 著

《七人之狱》　沙千里 / 著

《爱迪生传》　伍况甫 / 译

《歌德自传》（上下）　歌德著 / 思慕译

《尼赫鲁自传》　［印度］尼赫鲁著 / 毕来译

《列宁传》　［苏］凯尔任采夫著 / 企程　朔望译

《罗斯福总统传》　C．Mackenzie 著 / 张尚之译

《托尔斯泰传》（1–3）　［英］阿尔麦 · 莫德著 / 徐迟译

《革命文豪高尔基》　［美］亚历山大·康恩著/韬奋编译

《鲁迅纪念特辑》　新中国文艺社/编

《回忆鲁迅先生》　萧红/著

《人民文豪鲁迅》　平心/著

《亡友鲁迅印象记》　许寿裳/著

《鲁迅思想研究》　何干之/著

《鲁迅研究》　夏征农/编

《过来的时代：鲁迅论及其他》　雪峰/著

《电影戏剧表演术》　洪深/著

《日常心理漫谈》　［美］约瑟夫·查斯特罗著/曾宝施译

《心理常识漫话》　朱智贤　杨云美/著

《读书的方法与经验》　王任叔/著

《美国黑人生活纪实》　［美］加德维尔　斯坦倍克著/董秋斯译

《初访美国》　费孝通/著

《事业与成功》　［美］马尔腾著/汪原放译

《萍踪寄语（初集）》　韬奋/著

《一生的幸福前途——〈生活周刊〉信箱选集》　生活书店/编选

《深刻的印象》　生活周刊社/编

《海外的感受》　生活书店编译所/编

ISBN 978-7-108-04766-3
9 787108 047663 >
定价：19.00元